Cinq clés
pour bien vieillir

Savoir pour mieux prévenir

Catalogage avant publication de Bibliothèque et Archives nationales du Québec et Bibliothèque et Archives Canada

Ledoux, André, 1937-

      Cinq clés pour bien vieillir: savoir pour mieux prévenir
      (Collection Parcours)
      Comprend des réf. bibliogr.
      Publ. aussi en format électronique.
      ISBN 978-2-923369-21-1

    1. Vieillissement - Prévention. 2. Vieillissement. I. Titre.

RA776.75.L42 2011   613   C2011-941817-7

Conception de la couverture: Sandra Laforest
Illustration de la couverture: Istockphoto
Infographie: Claude Bergeron

© Editas et André Ledoux
Dépôt légal: 4e trimestre 2011
Bibliothèque nationale du Québec
Bibliothèque nationale du Canada

ISBN 978-2-923369-21-1

Imprimé au Canada

Distribué en France par La Librairie du Québec à Paris
30, rue Gay-Lussac
75005 Paris, France
Téléphone: 01 43 54 49 02

Editas
Montréal (Québec)
Téléphone: (514) 842 3900
editas@editas.net
Boutique Internet: http://blogauteurs.net/

ANDRÉ LEDOUX

Cinq clés
pour bien vieillir

Savoir pour mieux prévenir

EDITAS

Du même auteur

Vivez mieux, vivez plus vieux – Guide pour une vie en santé
Boucherville, Les Éditions de Mortagne, 2006

Le bénévolat auprès des malades et des aînés,
Savoir pour mieux aider
Boucherville, Les Éditions de Mortagne, 2007

De l'homme en crise à l'homme nouveau
– Essai sur la condition masculine
Québec, Les Éditions Option Santé, 2009

La santé des hommes après 50 ans,
Montréal, Editas, 2010

À toutes les personnes soucieuses de leur santé
et qui veulent retarder les outrages du temps.
Puissent-elles être rassurées à la lecture de ces pages
et découvrir les clés salutaires pour bien vieillir.

L'auteur

Table des matières

Du vieillir au bien-vieillir

*Un vieillissement sain
ne devrait pas être le privilège de quelques-uns.
Il s'agit au contraire d'un droit fondamental de l'Homme
que les personnes du monde entier devraient pouvoir apprécier
pleinement.*

Dr Alexandre KALACHE*

Au moment où le Québec s'apprête à faire face aux défis que pose le vieillissement de ses baby-boomers, ces derniers ne se sentent toujours pas « vraiment » concernés. Quelle ironie ! Pourtant, le Québec verra sa population vieillir à un rythme accéléré, et ce, d'une façon très particulière et inédite, tout comme le Japon et l'Italie. Les chercheurs, gérontologues et gériatres québécois, tout comme ceux des autres pays occidentaux, travaillent depuis plus de vingt ans à mieux comprendre les changements individuels, communautaires et sociaux qui différeront des générations précédentes et qui nous forceront à

---

* Ex-coordinateur, membre de l'Équipe *Vieillissement et Parcours de la vie,* Organisation mondiale de la santé. Allocution d'ouverture de la Conférence internationale « *Vers une nouvelle perspective : du vieillir au bien-vieillir* », octobre 2004. *Vie et vieillissement,* VOLUME 4, n° 1-2, 2005.

modifier, collectivement et individuellement, nos approches par rapport au vieillissement.

Comme le temps presse, il est important qu'au Québec on regarde les meilleures pratiques expérimentées ailleurs dans le monde. Pourquoi certains pays sont-ils mieux préparés à intégrer leurs aînés? Pourquoi certains groupes de populations de certains pays produisent-ils des centenaires encore autonomes? Pourquoi certaines sociétés sont-elles favorables à encourager les personnes de plus de 55 ans à rester actives et productives le plus longtemps possible et à reconnaître leur rôle de citoyen à part entière jusqu'à la fin de leur vie? Qu'ont en commun les personnes centenaires dans le monde? Quel est leur secret?

Jusqu'à présent, tous les résultats de recherches concordent pour constater qu'il n'y a pas de secret, pas de recette! Il n'y pas de produits magiques antivieillissement, anti-âge, antirides...! Le vieillissement est universel, irréversible, incontournable, différent selon chaque individu et inévitable. Par contre, les chercheurs s'entendent pour reconnaître la part cruciale que peut avoir chaque individu dans le déroulement de son propre vieillissement, et ce, malgré le bagage génétique.

Arrêtons alors de considérer le vieillissement comme une malédiction. Considérerons-le plutôt comme une autre étape de la vie active. Continuons à nous comporter, peu importe l'âge, comme des citoyens à part entière, essentiels au développement de nos sociétés. Faisons la preuve que nous pouvons toujours, à bien des égards, apporter une précieuse contribution. Les aînés d'une société doivent être considérés comme des éléments positifs et non comme des fardeaux et, pourquoi pas, comme des opportunités d'affaires.

L'auteur André Ledoux a bien compris l'importance de la préparation au bien-vieillir en s'attardant sur cinq des principales clés, essentielles pour favoriser le passage du vieillir au bien-vieillir. Ce livre, *Cinq clés pour bien vieillir - Savoir pour mieux prévenir* - permettra aux lecteurs et lectrices de mieux comprendre leur propre processus du vieillissement, de mieux identifier leurs forces et leurs faiblesses afin d'être plus informés sur les meilleurs choix à privilégier, pour ajouter des années à leur vie, mais surtout de la vie à leurs années.

N'oublions jamais que le vieillissement n'est pas un privilège donné à tout le monde...

Ceux qui ne vieillissent pas meurent !

Catherine Geoffroy, M.Sc. Ed.P.

Experte-conseil en gérontologie sociale, en promotion du bien-vieillir, en préparation à la retraite et en perspectives carrière-retraite.

Présidente de l'Association québécoise de gérontologie, rédactrice en chef de la revue scientifique *Vie et vieillissement*.

Avant-propos

Vieillir est une chance dont tout le monde ne profite pas nécessairement ! Avoir 75 ans, être santé et jouir de la vie demeure
un privilège qu'il faudrait savourer et apprécier au quotidien.
Pourtant, ils sont nombreux les aînés aux prises avec des ennuis
et des contrariétés de toutes sortes, pour qui le vieillissement
constitue une épreuve avec son lot de souffrances, d'injustices
et de maladies. Rien d'étonnant à ce que les termes *vieux* et
vieillissement soient généralement bannis des médias et de la
vie sociale.

Ce qui nous interpelle davantage, c'est l'idéologie du bien-
vieillir que nos sociétés cultivent de plus en plus et qui devient
une exigence au même titre que la performance, la production, la
réussite, la tenue vestimentaire élégante, la chirurgie esthétique,
etc. Le bien-vieillir est servi à toutes les sauces : le gouvernement
en fait la promotion, psychologues, sociologues et gérontologues
publient régulièrement des articles, statistiques et recherches
sur le sujet et les sites Internet abondent en information. Personne ne peut y échapper, ainsi le veut la croisade qui s'en prend
subtilement au mal-vieillir, une soi-disant calamité de nos temps
modernes.

Cette obligation sociale de bien vieillir a inspiré des propos fort pertinents au sociologue Michel Billé : *Vieillissez mais restez jeunes, vieillissez mais vieillissez bien. Voilà l'injonction au « bien vieillir » qui impose ses références, ses modèles jusqu'à s'en faire tyrannique. (...) « Bien vieillir » consiste aussi à adopter un « look » et si ce « look » est trop décalé, il est toujours possible de le faire « relooker » par des gens qui apprennent à se mettre en valeur à travers des comportements vestimentaires. On ne peut donc monter sur scène que si l'on vieillit bien, que si personne ne voit que l'on vieillit. « Bien vieillir » devient ainsi un devoir, une obligation, une contrainte*[*]. Dans toutes ses ramifications, la société s'applique à entretenir l'idéologie du bien-vieillir.

Au-delà de ces idées et de ces croyances, une vérité fondamentale s'impose : les gens âgés vieillissent de mieux en mieux, restent en santé et vivent de plus en plus longtemps. Ils cultivent l'autonomie et demeurent dans leur maison jusqu'à un âge vénérable. Ces mêmes aînés rendent des services aux membres de leur famille et font du bénévolat dans les organismes, les hôpitaux ou les écoles. Ils sont membres de diverses associations, sont actifs dans le mouvement syndical, jouent au bridge ou au scrabble, sont des adeptes du conditionnement physique, voyagent, séjournent à l'étranger, etc. Heureux, ils s'adaptent bien à l'avancée en âge et ce phénomène social est indissociable de cette longévité en plein essor que l'on observe dans la plupart des sociétés contemporaines.

---

[*] Michel BILLÉ, Didier MARTZ, *La tyrannie du « bien vieillir »,* Éditions Le bord de l'eau, Paris, 2010, p. 87 sq.

Cinq clés pour bien vieillir se veut un rempart contre la dégénérescence. Cet ouvrage vient conforter les aînés dans leur souci de prendre en main les prochaines années enrichissantes de leur vie pour qu'ils puissent les vivre dans la sérénité, la confiance et la quiétude.

CHAPITRE 1

Vivez plus vieux

Le vieillir est donc une métamorphose profonde
de l'être qu'il faut savoir gérer
à force de volonté et d'acceptation.

Claude BENOÎT

Notre époque qui sacralise l'apparence et les valeurs du jeunisme est aux antipodes de la vieillesse, cette marque indélébile des années sur les individus. La sénescence n'est-elle pas annonciatrice de la maladie qui perturbe le présent et interroge l'avenir, tout en faisant songer à la mort?

Au fur et à mesure que nous avançons en âge, la vieillesse devient présente à notre conscience, bien que l'on tente généralement d'en occulter les conséquences. Des cheveux gris, une acuité visuelle moindre, des rides, tels sont les premiers signes qui ne mentent pas. Les débuts de la vieillesse s'imposent et, graduellement, l'endurance et l'énergie ne seront plus ce qu'elles étaient. Les facultés mentales s'en ressentiront également: la concentration perdra de sa capacité et la mémoire flanchera à maintes occasions.

Les limites à certaines activités deviennent alors évidentes surtout quand les malaises physiques font leur apparition. Les menaces à notre santé et à notre sécurité s'installent et il faut bien admettre que la vulnérabilité nous guette. Il semble moins facile de se défendre contre la maltraitance, les agressions et les injustices.

Porter l'étiquette de *vieux* peut signifier souffrir de l'inactivité et du désengagement social, subir l'expérience du déclin et les incapacités de toutes sortes, la dépendance et la décrépitude. Voilà une conception bien dévalorisante de l'avancée en âge, laquelle, comme un miroir tendu, nous renvoie à nous-mêmes et traduit une angoisse face à la finitude de la vie. Et comme le dit si bien le Dr David Lussier, gériatre à l'Institut universitaire de gériatrie de Montréal, *la vieillesse, on ne veut pas la voir.*

L'attitude d'esprit est souveraine en regard de cette évolution : une conception négative du phénomène ne peut être que néfaste à la joie de vivre et surtout à l'équilibre mental. Selon des recherches gériatriques, une vision positive de l'existence serait même un facteur de longévité et pourrait allonger la vie en moyenne de sept ans et demi[1].

Heureusement, et très souvent, la sénescence peut s'illustrer autrement. Bien des aînés qui jouissent d'une bonne santé participent à des projets stimulants et connaissent les joies du temps libre et de la plénitude de vivre, et déjouent ainsi le phénomène. Elles sont de plus en plus nombreuses les personnes, de 80 ans et plus, dynamiques, en forme et engagées dans la vie sociale. C'est le vieillissement heureux !

Les âges de la vie

Dans notre monde contemporain, une personne est âgée à 65 ans, âge reconnu socialement pour prendre sa retraite. Voici, par ailleurs, une brève description des classes d'âges, telles que les conçoivent certains praticiens de la gérontologie et adoptée par l'Organisation mondiale de la santé (OMS) :

> **Le troisième âge : 65 à 74 ans :** désigne les personnes sans dépendance, en bonne santé, sans obligation de travail et en mesure d'atteindre leurs objectifs personnels.

> **Le quatrième âge : 75 à 84 ans :** désigne les personnes avec dépendance partielle ou totale, dont la santé s'est détériorée et dont les activités sont limitées.

> **Le cinquième âge : 85 ans et plus :** désigne les personnes avec dépendance partielle ou totale, dont les activités sont très limitées et qui ont besoin de soins spécialisés dans un établissement de santé.

Peut-être ajouterons-nous bientôt une autre classe d'âge, celle des centenaires, puisque de plus en plus de personnes atteignent cet âge vénérable ! Ces classes d'âges, on l'aura compris, correspondent aux besoins d'ordre administratif des secteurs de la santé et des services sociaux.

À vrai dire, le concept d'âge de la vieillesse est bien difficile à cerner. La définition chronologique du phénomène n'existe pas. Nous éprouvons plutôt une perception subjective de cette réalité. Un «sentiment d'être vieux» que chacun d'entre nous ressent, en équilibre plus ou moins instable, compte tenu de facteurs physiques, psychologiques et socioculturels.

D'où le concept de vieillissement différentiel, cet écart entre l'âge biologique d'un individu qui relève de ses performances physiques et mentales et son âge chronologique exprimé par le temps écoulé depuis sa naissance. Des personnes du même âge, 78 ans, pour donner un exemple, ne partageront pas les mêmes effets du vieillissement : l'une pourrait souffrir de problèmes musculo-squelettiques, une autre de surdité plus ou moins légère, une autre d'une vue défaillante alors que la dernière pourrait se porter fort bien. Ce qui fait du vieillissement un phénomène complexe.

Tout le monde ne vieillit donc pas de la même manière, ni au même rythme, car la santé de chacun est tributaire de son bagage génétique et de ses conditions et habitudes de vie. Une personne de 67 ans pourrait fort bien s'identifier au 4e âge en raison d'une certaine perte d'autonomie, alors que le cas d'une dame de 85 ans, en excellente santé, serait perçu comme appartenant encore au 3e âge. Le vieillissement différentiel, théorie mise au point en 1980 par les chercheurs Francis Forest, D.Sc. et Ursula Forest-Streit, Ph.D. de l'Université de Montréal, est une notion souvent employée en anthropologie pour mesurer le rendement dans les milieux de travail.

À quel âge devient-on vieux ?

Les modalités de sénescence sont très différentes d'une population à l'autre et, à l'intérieur d'un même groupe d'individus, d'une personne à l'autre. En effet, le vieillissement humain évolue de façon progressive, comporte des effets cumulatifs, demeure irréversible, touche les organes à des moments variables et suit un rythme propre à chaque personne. Le tout est marqué par des influences externes et internes comme l'hérédité, les réactions organiques, la maladie, le comportement psychologique et social, le statut socio-économique, etc. On peut affirmer que, généralement, les marques du temps commencent à paraître physiquement, dans la cinquantaine. Les cheveux grisonnent, les courbatures se manifestent, la force musculaire et l'endurance diminuent. Des déficiences sensorielles peuvent se révéler comme le déclin de l'audition ou de la vision. Les fonctions cognitives se modifient parce que le temps de la réception et du traitement des informations s'allonge. La manière d'apprendre s'altère, d'autant plus que la mémoire enregistre moins bien les connaissances. Tous ces changements concourent à une certaine baisse de la capacité d'adaptation à l'environnement.

Mais à quel âge devient-on véritablement vieux ? Les conjectures abondent. Selon le Dr David Lussier, avant 85 ans, une personne n'est pas vieille et, entre 80 et 85 ans, elle entre dans une zone grise. Après 85 ans, tout peut rendre sa santé fragile. Le tableau ci-dessous est fort significatif pour montrer l'évolution du concept de *vieux* au cours des années.

À quel âge devient-on vieux ?

Selon l'année	Âge où l'on est vieux
1900	50 ans
1950	65 ans
1975	75 ans
2000	80 ans
2020	85 ans

Quoi qu'il en soit, les aînés de 60 ans et plus ne constituent pas un groupe homogène et c'est une grave erreur de considérer que la vieillesse, c'est nécessairement la dépendance. Dans une étude du Ministère de la santé et des services sociaux, *Info-Hébergement,* publié en 2010, la majorité (96,3 %) des personnes âgées de 65 ans et plus demeuraient dans leur domicile en 2009.

Les pertes du vieillissement

Il est indéniable que l'offense des ans diminue graduellement les habiletés physiques et mentales des sujets âgés. Malheureusement, personne ne peut échapper à ce déclin et chacun y réagit à sa manière. Les uns se montrent pessimistes, voire fatalistes, et découragent en eux tout effort de croissance. D'autres verront les choses d'un œil différent et décideront de profiter de cette dernière étape de la vie pour continuer à progresser.

Une vérité demeure toutefois fondamentale : pour mieux accepter les effets du vieillissement et pour vivre plus longtemps, les aînés doivent composer avec les phénomènes liés au crépuscule de la vie. Auteur de plusieurs ouvrages de gérontologie, Jacques Laforest affirme : *Personne ne peut espérer bien vieillir s'il n'assume pas les pertes de la vieillesse et la perspective de la mort prochaine qu'elles annoncent. C'est le point critique où se dessine l'orientation définitive d'une vieillesse : ou bien ce sera la plénitude d'une vie à l'approche de son sommet, ou bien ce sera la tristesse de la mort déjà commencée*[2].

De fait, il est possible de surmonter les pertes du vieillissement, mais pour cela il faut réunir trois conditions : retrouver la joie de vivre, modifier son système de valeurs et apprivoiser la perspective de la mort. Ce sont là les bornes qui, au temps de la vieillesse, jalonnent la route pouvant mener jusqu'au bout de la condition humaine.

Accueillir les pertes du vieillissement permet de mieux maîtriser son destin. Geneviève Coudin, maître de conférence en psychologie sociale à l'Université de Paris, écrit justement dans un article de la revue *Sciences humaines*: *Un des paris de la vieillesse reste donc de maintenir un sentiment de contrôle dans un contexte d'équilibre mouvant de gains et de pertes. Dans la mesure où des personnes âgées peuvent ressentir du contrôle dans des sphères clés de leur vie telle la santé, ils disposent bien d'une ressource importante. [...] Maintenir un sentiment de contrôle peut aider à prévenir ou à minimiser les inconvénients de l'âge.*

Les théories de la sénescence

Depuis plusieurs années, scientifiques et chercheurs se sont appliqués à élaborer diverses théories pour faire connaître et expliquer à quoi tient le déclin des individus. Quelles sont les composantes en cause dans le processus dégénératif qui s'attaque à tous les êtres vivants, sans exception? S'agit-il des défenses immunitaires, de l'intégrité cellulaire, du système endocrinien, des gênes ou de l'énergie? Bien sûr, il y a un peu de tout, un système immunitaire qui fléchit, les cellules se régénérant mal, des glandes endocrines défectueuses, un bagage héréditaire défavorable, etc. Mais il importe d'insister particulièrement sur l'immunité et les radicaux libres qui, tels des requins, s'attaquent à l'organisme.

Selon la théorie immunologique, mise de l'avant en 1969 par Roy Walford, médecin s'intéressant notamment à la longévité, les failles du système immunitaire seraient à la base du vieillissement. Le système immunitaire est la partie de notre organisme la plus active dans la détermination de notre état de santé. Les effets délétères du vieillissement se manifestent d'abord par une défaillance immunitaire, celle surtout des lymphocytes T, catégorie de globules blancs responsables de l'immunité cellulaire. Quand on vieillit, les maladies infectieuses risquent donc de connaître une progression. Bactéries, virus et parasites ne manquent pas de s'affirmer, sans oublier les nouvelles infections comme le SRAS et le C. difficile. Les défenses humorales et cellulaires étant à la baisse, elles protègent moins bien l'organisme. Fort heureusement, l'immunité peut être soutenue et renforcée par quelques moyens à prendre que nous verrons plus loin.

La théorie radicalaire est sans doute la plus connue ; dans les années 1980, elle a été acceptée par une partie de la communauté scientifique. L'oxygène, si nécessaire à la vie, est au cœur de la notion de radicaux libres. En effet, le corps humain a besoin de l'oxygène pour vivre et c'est par le biais des systèmes pulmonaire et cardiovasculaire que cet élément, puisé dans l'air que nous respirons, finit par se rendre aux cellules. L'opération ne se fait pas sans heurt : il se produit alors un processus d'oxydation qui, paradoxe de l'oxygène, génère les fameux radicaux libres.

Cette théorie nous rappelle que les radicaux libres existent aussi dans la nature ; ils provoquent la rouille du métal, les fissures dans le caoutchouc, le brunissement des fruits et leur pourrissement, le rancissement du beurre ou des huiles végétales laissés trop longtemps à l'air libre. Il en est de même

pour l'organisme et les radicaux libres expliqueraient le vieillissement physiologique : les rides et les taches brunes sur la
peau, les cataractes, les maladies inflammatoires ou neurodégénératives, et le cancer sont souvent causés par des réactions
oxydatives, lesquelles peuvent toucher évidemment tous les
organes du corps. D'où l'importance de contrer ces effets par
ces antioxydants que l'on trouve dans son alimentation et les
suppléments nutritionnels ; la prise des antioxydants est la
garantie par excellence de la lutte contre les maladies dégénératives, notamment le cancer.

Toutes ces théories et bien d'autres ont ceci en commun :
bien que chacune apporte des explications au vieillissement,
aucune ne rend parfaitement compte des causes fondamen-
tales de cette réalité incontournable. On peut toutefois affirmer,
sans crainte d'erreur, que les outrages du temps relèvent en
partie de conséquences génétiques, tout en demeurant soumis
aux conditions de vie et à de multiples événements aléatoires
qui vont du simple accident physiologique aux maladies graves.
La recherche biomédicale parle avec pertinence de variabilité
factorielle.

Et la santé mentale

On l'aura deviné, les conséquences du vieillissement atteignent
parfois l'équilibre psychoémotif si précieux à tout âge. Pourtant,
pour bien vieillir, la santé mentale doit être au rendez-vous.
Des traits de personnalité peuvent caractériser une bonne
santé mentale chez les aînés. S'accepter avec ses qualités, ses
défauts et ses limites, savoir lutter contre le stress, bien gérer
ses énergies, percevoir son environnement et les autres avec

réalisme, manifester de l'autonomie, trouver des solutions à ses problèmes, se sentir heureux, s'occuper à des tâches, à des loisirs ou à des activités bénévoles, tels sont les éléments d'une excellente santé mentale. En ce sens, le psychiatre américain de grande réputation, Karl A. Menninger (1893-1990), donne une définition pertinente de la santé mentale : *C'est l'adaptation d'un être au monde et aux autres humains avec un maximum d'efficacité*. Et cela est d'autant plus vrai quand on avance dans le temps.

Selon le Conseil des aînés, les personnes âgées qui risquent le plus d'éprouver des ennuis de santé mentale sont celles qui sont peu scolarisées, qui vivent seules, qui ne sortent pas souvent de leur résidence, ou les réfugiés et les immigrants privés d'un soutien moral de la part de leur groupe d'origine. La souffrance morale est une épreuve redoutable pour les aînés surtout lorsqu'ils ne sont pas en mesure de s'en affranchir aisément. La détresse psychologique s'avère même un prédicteur important de décès chez certaines personnes. Ainsi, la santé mentale vient jouer un rôle de premier plan dans l'art de bien vieillir ; l'équilibre psychoémotif fait toute la différence entre des personnes heureuses, bien dans leur peau, et les autres qui souffrent à des degrés divers.

Sénescence et sénilité

Elles sont nombreuses les personnes qui, parvenues à un certain âge, s'interrogent sur leurs capacités mentales et songent à la sénilité : *Ma mémoire est-elle défaillante ? Ai-je des problèmes de concentration ? Serais-je encore capable d'apprendre ?* Bref, il s'agit de la vie de l'esprit, de sa tête, comme on le dit communément. Personne ne veut devenir sénile, un terme fort péjoratif qui marque en particulier un fléchissement des habiletés mentales.

La sénescence, comme l'adolescence, relève du vieillissement normal qui survient dans l'organisme, et s'accompagne de changements physiologiques et psychologiques, mais en l'absence de maladie. Il faut bien reconnaître que ce «concept de sénescence» est un peu contestable dans la mesure où le vieillissement normal ou la sénescence prédispose en principe à des ennuis ou à la maladie.

La sénilité, elle, est de l'ordre pathologique, parce qu'elle est une affection ou un affaiblissement de l'esprit et du corps. Elle se caractérise par une altération des capacités physiques et mentales. Selon Larousse, *la sénilité est la résultante de pathologies chroniques invalidantes dont l'incidence croît avec l'âge. Les affections psychiques les plus fréquentes sont la dépression (dont la mélancolie délirante pseudo-démentielle est la forme majeure) et les délires.* La sénescence est liée à une évolution de l'individu alors que la sénilité découle d'une dégénérescence de l'individu. Il est donc faux d'entretenir l'idée que la déchéance intellectuelle est une caractéristique des aînés.

Si, en vieillissant, la courbe du déclin physique est forcément descendante, la dégradation étant inéluctable, la courbe des capacités mentales peut être carrément ascendante jusqu'à la fin de la vie. On constate notamment ce phénomène chez les travailleurs intellectuels qui, durant toute leur existence, ont fort utilisé leurs facultés mentales. *Use it or loose it,* disent les Américains en parlant de la fonction cérébrale. Même si quelques dépendances physiques se développent avec le temps, la sénescence constitue, à coup sûr, le grand espoir de vivre heureux pendant des années.

L'âgisme

En 1968, le psychiatre américain, Robert N. Butler, a été un des premiers gérontologues à reconnaître la discrimination envers les aînés en créant le terme *âgisme*. Exclusion d'un individu ou d'un groupe sur la base d'un critère comme l'âge, ce concept devait s'affirmer au cours des années subséquentes. Les stéréotypes et la stigmatisation à partir de l'âge se manifestent presque dans presque tous les domaines : médias, monde du travail, publicité, etc. Et les clichés abondent : le vieux vit dans le passé ; le vieux est pauvre, dépendant et improductif ; le vieux est vulnérable, lent et malade, il va mourir. D'autant plus qu'on classe toutes les personnes âgées dans une même catégorie, sans aucune nuance ou distinction. Les aînés ne devraient pas se laisser influencer par l'âgisme et faire la preuve, dans la mesure du possible, des mille et une faussetés véhiculées à leur sujet. L'éducation auprès des jeunes et l'information demeurent le rempart contre ce fléau qui affecte le moral de plusieurs aînés et ternit à coup sûr l'image du bien-vieillir. L'Association québécoise de gérontologie lance, en cette année 2011, une vaste campagne de sensibilisation pour contrer le phénomène sous toutes ses formes avec le slogan : *L'âgisme, parlons-en !*

Vivre longtemps

Le 20e siècle a donné lieu à une révolution discrète et unique à l'égard de la longévité. Les sociétés occidentales, notamment, ont gagné plus de 25 ans de prolongation de vie, phénomène remarquable qui égale presque l'espérance de vie atteinte durant les 5 000 ans précédents de l'histoire de l'humanité. L'âge de référence de 65 ans bénéficie d'environ 20 % de cet accroissement. Les progrès économiques et sociaux, la baisse de la mortalité infantile, le souci d'une meilleure santé, la recherche biomédicale, ce sont là les explications de cette révolution encore en marche.

La longévité se définit comme une longue durée de vie de l'individu, d'un groupe ou d'une espèce. C'est le nombre prévu d'années qui restent à vivre à une personne appartenant à une population donnée et selon des facteurs de mortalité précis. Non sans raison, le Dr Alexis Carrel affirmait que *la longévité n'est désirable que si elle prolonge la jeunesse, et non pas la vieillesse*. Vivre plus longtemps, pour nous, c'est vivre avec une bonne qualité de vie inséparable d'un épanouissement personnel, même à un âge avancé. Et, fait très encourageant, de plus en plus de gens y parviennent !

Dans la Chine ou la Grèce antiques, on décédait souvent entre 18 et 22 ans. À l'époque de Louis XIV, on vivait à peine jusqu'à 25 ans en moyenne. Au milieu du 19e siècle, l'espérance de vie était de 43 ans et de 50 ans au début du 20e siècle. Dans les années 50, l'homme vivait en général jusqu'à 70 ans. Dans *La Tribune* de Sherbrooke du 5 juin 2010, le professeur Richard Lefrançois déclare: *De 2001 à 2009, le nombre de Québécois ayant atteint l'âge vénérable de 95 ans a littéralement explosé, augmentant de 81 %, en comparaison de 41 % chez les 80-94 ans et de 15 % chez les 65-79 ans. Ce mouvement ascensionnel s'accompagne de la progression fulgurante du nombre d'hommes très âgés.*

Il n'est donc pas rare aujourd'hui de vivre octogénaire et les centenaires sont de plus en plus nombreux. En 2009, on comptait environ 1 400 centenaires au Québec, dont 85 % sont des femmes. En ce début de 21e siècle, le Canada, lui, dénombre plus de 5 000 centenaires, et leur nombre sera à la hausse au cours des prochaines décennies. Statistique Canada explique la longévité de ces personnes par des prédispositions génétiques, mais aussi par un mode de vie sain et une attitude positive face aux épreuves. Quel est le portrait type de ces centenaires ? Il s'agit d'une femme qui a été active toute sa vie, qui est plutôt gaie, fait montre d'optimisme et de confiance en l'avenir, qui est pourvue d'une bonne ouverture d'esprit et d'un caractère fort, et qui évite les excès. Quant au bagage génétique, il ne faut pas se leurrer car, d'après les scientifiques, il n'aurait une influence d'à peine 25 % sur la longévité.

L'espérance de vie

Nous assistons donc à une augmentation de l'espérance de vie à travers le monde, bien que certains pays du Tiers-Monde enregistrent des espérances de vie très faibles, probablement en raison de la mortalité infantile, d'un système de santé précaire et de catastrophes naturelles aux effets dévastateurs sur l'agriculture. Voici quelques exemples, de l'espérance de vie à la naissance, dans certains pays :

Espérance de vie dans le monde à la naissance

Pays	Hommes	Femmes
Japon	78,0	84,7
Canada	78,7	83,8
Australie	78,9	83,0
France	77,6	84,5
Royaume-Uni	75,8	80,5
États-Unis	74,6	79,8
Chine	69,6	72,7
Russie	58,4	72,1

Source : Organisation mondiale de la santé, 2003

Les Japonais détiennent ainsi le record de longévité grâce, semble-t-il, à une alimentation pauvre en graisses et à un bas taux de maladies pulmonaires. Le Canada, placé au 2e rang, fait évidemment bonne figure et, chez les Canadiens, l'écart entre l'espérance de vie des hommes et des femmes se rétrécit depuis la fin des années 1970. Quant aux États-Unis, d'aucuns prétendent que l'obésité, en constante progression, contribuerait à abaisser l'espérance de vie des Américains.

Au Québec, l'espérance de vie à la naissance s'apparente à celle des Canadiens, alors que l'espérance de vie à 65 ans est plus élevée. D'après l'Institut de la statistique du Québec, l'espérance de vie à la naissance serait de 78 ans pour les hommes et 83 ans pour les femmes. Par ailleurs, après 65 ans, les hommes peuvent s'attendre à vivre encore 18 ans et les femmes, 21 ans.

Voici un autre tableau qui présente l'espérance de vie à l'âge d'aujourd'hui.

Espérance de vie à l'âge actuel

Âge	0	5	15	30	45	60	75	90
Hommes	77	77	77	78	79	81	86	94
Femmes	84	84	84	85	85	87	89	95

Source : Vallin, Jacques, Meslé, France, *Données statistiques*,
Institut national d'études démographiques, Paris, 2001

Si vous êtes un homme âgé de 60 ans, vous pouvez espérer vivre jusqu'à 81 ans et si vous avez 75 ans, vous pourriez atteindre vos 86 ans.

La probabilité de devenir octogénaire a augmenté en ce début du 21e siècle. Mais, au dire de Nortin M. Hadler, M.D., les possibilités de vivre jusqu'à 90 ans et plus sont plutôt minces. *Et le contraste est tellement marqué*, écrit-il, *qu'il s'en trouve pour se demander si la longévité n'est pas fixée pour notre espèce autour de l'âge de 85 ans. Alors qu'on espère vivre jusqu'au milieu des années 80, tout ce qui dépasse 85 ans devient un «bonus», sinon une curiosité statistique. Cette observation est compatible avec les tendances de la démographie et il est peu probable qu'elle change sensiblement[3].*

Pour ce médecin, auteur de 13 volumes et diplômé des universités Yale et Harvard, le statut socio-économique (SSE) et son proche parent, le niveau de scolarité, sont les piliers de la longévité.

Il y a une association incontestable entre le SSE et la longévité. Il ne faut pas succomber à l'illusion que le SSE est une simple mesure de la classe de revenus. Plus est grand l'écart entre riches et pauvres (indice Robin des Bois) dans les divers états des États-Unis, plus la perte de longévité des pauvres est grande. Cette association entre la disparité des revenus et la longévité est d'ailleurs perceptible partout dans les pays développés. Il ne faut surtout pas croire que le SSE est une mesure des dépenses en soin de santé. Le SSE décrit le type de quartier qu'on habite et le contexte dans lequel on gagne sa vie.

Parmi ceux qui sont nés entre les deux guerres, ceux qui ont terminé 12 années de scolarité, par exemple, vivront près de sept années de plus que ceux qui sont dans le bas de l'échelle du SSE[4].

Enfin, l'âge perçu chez les plus de 60 ans, serait en lien avec l'espérance de vie. Plus on aurait l'air jeune, meilleures seraient les chances de vivre plus vieux, selon une étude parue dans le *British Medical Journal* dont parle la revue *Sciences et Avenir* de février 2010. La preuve biologique résiderait dans le fait que *les télomères des survivants, ces séquences d'ADN situées à l'extrémité des chromosomes et qui se raccourcissent en vieillissant, ces télomères plus longs se trouvaient chez ceux dont le visage avait gardé des traits juvéniles.* La longueur des télomères constituent ainsi un indicateur sérieux du vieillissement biologique. Ne pas faire son âge serait donc un atout et on peut ainsi croire que l'âge perçu par rapport à l'âge réel, l'apparence en un sens, est un marqueur fiable de la longévité, ce qui devient très significatif chez les sujets de plus de 70 ans. En d'autres termes, si l'on paraît plus jeune, on augmente nos chances de vivre plus longtemps.

Le bien-vieillir et les baby-boomers

Les baby-boomers représentent 1,6 million de personnes, soit 21 % de la population, et ils ont entre 50 et 64 ans. Ils ont livré leur conception du vieillissement dans un sondage[5] réalisé en mai 2010 et leurs propos sont des plus pertinents. Dans une proportion de 86 %, les baby-boomers se disent en bonne santé et se sentent 10 ans plus jeunes que leur âge réel. Qui plus est, 75 % d'entre eux prévoient être en forme à 75 ans, un âge où ils seront en plus actifs et engagés dans des projets. De plus, 90 % feront ce qu'il faut pour bien vieillir : payer ses dettes, planifier sa retraite, subir avec régularité des examens médicaux et changer, s'il y a lieu, les habitudes de vie. Et ils ont aussi révélé à quel âge on devenait vieux : pour 36 %, c'est entre 80 et 84 ans et pour 22 %, 90 ans ! Décidément, les baby-boomers ont l'intention d'affronter l'avancée en âge avec succès et confiance.

Mais il ne faudrait pas perdre de vue le fait que, plus on vieillit, plus on doit se préoccuper de sa santé. *C'est donc vers l'âge de 75 ans que l'impact du vieillissement commence à se manifester davantage. Ne pas y être attentif risque de contribuer à une détérioration accrue de l'état de santé et de l'autonomie de la personne âgée entraînant des interventions en situation d'urgence du réseau de la santé et des services sociaux[6].*

Vieillir est donc une réalité incontournable. Associer l'avancée en âge à une mauvaise santé, à un déclin physique prononcé et handicapant ou à la maladie ne reflète aucunement la réalité que vivent les aînés de nos jours. Ce qui demeure extraordinaire, c'est que nous vieillissons de plus en plus en pleine forme avec le moins de dépendance possible et ce bien-vieillir est l'apanage d'un grand nombre de personnes, d'autant plus qu'il existe des clés pour réussir un vieillissement heureux !

Notes et références

1. Antoine LEJEUNE, *Vieillissement et résilience,* Marseille, Solal Éditeurs, 2004, p. 58.

2. Jacques LAFOREST, *La vieillesse apprivoisée,* Montréal, Éditions Fides, 2002, p. 21.

3. Nortin M. HADLER, M.D., *Le dernier des biens-portants,* Québec, PUL, 2008, p. 7.

4. *Ibid.,* p. 9-10.

5. ASSOCIATION QUÉBÉCOISE D'ÉTABLISSEMENT DE SANTÉ ET DE SERVICES SOCIAUX/CROP, *Sondage auprès des Québécois âgés de 50 à 64 ans sur le vieillisssement,* www.aqesss.qc.ca/470/imedia.aspx?sortcode=1.1.3.4... (Consulté le 20 février 2011).

6. ASSOCIATION QUÉBÉCOISE D'ÉTABLISSEMENT DE SANTÉ ET DE SERVICES SOCIAUX, *6 cibles pour faire face au vieillissement de la population,* Montréal, Édition Guylaine Boucher, Agence Médiapresse inc., 2011, p. 17.

CHAPITRE 2

Alimentez-vous mieux

Le jour où les historiens se pencheront sur l'histoire de la médecine au XXᵉ siècle, je crois qu'ils décèleront deux tournants majeurs : le premier est la découverte des antibiotiques [...]. Le second est une révolution en cours : la démonstration scientifique que la nutrition a un impact profond sur presque toutes les grandes maladies des sociétés occidentales.

David SERVAN-SCHREIBER, M.D., Ph.D.

Pour l'être humain, se nourrir a toujours été primordial et demeure un besoin primaire à satisfaire. Le père de la médecine, Hippocrate, au 4ᵉ siècle de l'Antiquité, révélait la valeur des aliments dans un célèbre aphorisme : *Que ton aliment soit ton remède et que ton remède soit ton aliment.* À l'époque, l'alimentation pouvait assurer à elle seule le maintien de la santé.

Une alimentation idoine peut réduire les risques de maladie, soulager la douleur, stimuler l'esprit et atténuer surtout le processus de vieillissement. Il n'est aucunement exagéré de prétendre que 70 % des cas d'hospitalisation relèvent des mauvaises habitudes alimentaires. Si vous consommez trop de gras saturés, votre système cardiovasculaire risque fort de s'en ressentir : vous pourriez souffrir d'une obstruction des artères.

L'excès de sucre raffiné, échelonné sur plusieurs années, conduit facilement au diabète et les protéines animales, prises en trop grande quantité, mènent parfois à l'arthrite, à l'ostéoporose surtout chez la femme et à l'insuffisance rénale. Et les liens entre le cancer et une alimentation de piètre qualité sont indéniables.

Il faut malheureusement admettre que le bilan nutritionnel de trop de personnes âgées laisse à désirer. La solitude, l'indigence, la dépression, la perte d'intérêt, une nourriture inadéquate expliquent en partie le déficit en nutriments, aliments que l'organisme transforme sous l'action des sucs digestifs pour être capable de bien fonctionner. D'autres raisons relèvent proprement de la physiologie : prothèse dentaire mal adaptée, troubles digestifs, acuité réduite du goût et de l'odorat, absorption difficile, alcoolisme, tabagisme et effet nocif de certains médicaments. Pourtant, le bien-vieillir repose sur une saine alimentation, une clé fondamentale de la santé des aînés.

Le mythe de l'alimentation équilibrée

Au milieu du 20e siècle, les magnats du commerce se sont littéralement emparés du secteur alimentaire et ce, au détriment de la santé des consommateurs. En effet, les grandes chaînes et les supermarchés ont voulu offrir à leurs clients une grande quantité d'aliments qu'il fallait conserver sur les tablettes. Sont alors apparus toute la gamme des produits raffinés, les additifs et les aliments à base de gras trans. Et pour plaire davantage à la clientèle, le sel et le sucre sont entrés dans la fabrication d'un grand nombre d'aliments sans oublier les colorants qui embellissent les produits. Nous avons abandonné les produits frais au profit d'aliments préparés, souvent privés de substances nutritives essentielles.

Un grand nombre de nutritionnistes et de diététiciennes semblent faire fi de cette réalité et proclament avec candeur que nos aliments sont sains. La venue des aliments biologiques a contrecarré, d'une certaine façon, les visées des capitalistes de la nutrition, mais la situation n'a pas pu être redressée parfaitement. C'est ainsi que nous avons construit, au fil des années, le mythe de l'alimentation équilibrée.

Mangeons bien, conformons-nous aux recommandations du *Guide alimentaire canadien* et nous serons en bonne santé, clament les tenants d'une alimentation équilibrée. Examinons de plus près ce qu'on entend par cette alimentation quotidienne à la portée de tous ! D'abord, les fruits et légumes. Quand on les achète, ces produits sont souvent sur les étals du super-marché depuis quelques jours et ils ont aussi subi les effets du transport. Ils perdent ainsi une partie de leur valeur nutritive. On connaît en outre les incontournables pesticides qui entrent dans leur production et qui réduisent leur potentiel nutritif. Ne parlons pas de la pauvreté des sols qui prive souvent ces aliments de précieux minéraux comme le magnésium et le potassium. De plus, une cuisson prolongée des légumes pro-duit une perte de vitamines, de minéraux et d'enzymes ; la forte chaleur du four à micro-ondes peut aussi détruire de nombreux éléments nutritifs.

Quant au pain et aux céréales, à moins qu'ils ne soient bio-logiques et correspondent à des critères de santé précis, ils ne jouissent pas d'une qualité sûre en raison de tous les additifs qu'ils contiennent. Pour ce qui est du poisson, on est en droit de se poser la question : échappe-t-il à la pollution des mers ou des enclos d'élevage ? Et la volaille se passe-t-elle toujours des hormones et des antibiotiques ? Cette alimentation dite équilibrée est-elle vraiment exempte de gras saturés, de gras trans, de farine raffinée, de sucre blanc, d'agents de conservation, de colorants artificiels et d'additifs non mentionnés ? Que reste-t-il des nutriments dans les boîtes de conserve et les repas minute de nos épiceries ?

Et que dire de la fraîcheur des aliments ! Une enquête de la revue *Protégez-vous* (mars 2005), portant sur 130 échantillons d'aliments – des viandes, du poisson et des mets prêts à manger qui proviennent des supermarchés –, accrédite ce mythe de l'alimentation équilibrée. En effet, la journaliste Sylvie Dô a constaté que, *à l'œil, ce n'est pas toujours évident. Mais au labo, c'est indiscutable : la fraîcheur des aliments en épicerie manque à l'appel. [...] Non seulement un échantillon sur trois manquait de fraîcheur, mais de ce nombre, la moitié méritait carrément d'aller à la poubelle.*

Tout cela pour dire que le mythe de l'alimentation équilibrée doit nous inciter à nous méfier de la qualité des aliments que nous achetons et bien nous rappeler que leur valeur nutritive laisse parfois à désirer. On peut toutefois réussir à bien se nourrir en faisant un meilleur choix de ses aliments, en vérifiant leur date de péremption et en lisant attentivement la liste des ingrédients affichée sur les produits pour se tenir loin des colorants artificiels, agents de conservation, gras trans, etc.

Des fruits et des légumes

L'on n'insistera jamais assez sur l'importance de consommer abondamment fruits et légumes : là se trouvent particulièrement les vitamines, les minéraux et les fibres dont notre organisme a besoin. Les fruits et les légumes, par leur action antioxydante, s'opposent aux effets destructeurs des radicaux libres et préviennent ainsi l'apparition des maladies dégénératives. Tant mieux si vous consommez des produits biologiques !

Parmi les fruits, le bleuet mérite sans doute des considérations particulières. En effet, l'airelle, terme générique d'arbrisseaux porteurs de baies comestibles, ou l'airelle myrtille constitue une source d'antioxydants sans pareille. Le bleuet surpasse tous les fruits et légumes quant à sa capacité antioxydante et contiendrait environ 40 % de plus d'antioxydants que le vin rouge ; il abaisserait aussi le taux de cholestérol LDL. Toujours d'après le site Web *The World's Healthiest Foods*, des études sur les animaux ont aussi révélé que ce petit fruit protégerait le cerveau contre le stress oxydatif et réduirait les risques du cancer et de la démence à l'âge avancé, bienfait qui serait applicable aux humains. Une demi-tasse de bleuets détiendrait un pouvoir antioxydant aussi élevé que cinq portions de fruits ou de légumes. Le jus de bleuet biologique serait à privilégier pour sa disponibilité et sa valeur nutritive quand le fruit se fait rare.

En revanche, des recherches récentes menées au département de nutrition de la faculté de médecine de l'Hôtel-Dieu de Montréal ont confirmé le rôle bénéfique des caroténoïdes, un pigment jaune ou rouge, contre le cancer colorectal.

Les propriétés antioxydantes des caroténoïdes sont présents dans les carottes, les oranges, les navets, le brocoli, les tomates, les épinards et autres légumes à feuilles vertes. La conclusion des études nous impressionne : la consommation des caroténoïdes réduit de 56 % les risques du cancer du côlon chez les non-fumeurs. Il est bien triste que le tabagisme annule, à toutes fins utiles, les effets heureux des cararoténoïdes.

D'après les chercheurs du Centre de contrôle et de prévention des maladies à Atlanta, dans une étude publiée en novembre 2010, l'alpha-carotène en quantité suffisante dans le sang pourrait prévenir la mort prématurée en éloignant les dangers dans une proportion de 39 %, et plus la concentration d'alpha-carotène était présente dans le sang, plus le risque de décès diminuait chez les sujets. L'alpha-carotène est un antioxydant d'origine végétale appartenant à la famille des caroténoïdes au même titre que le bêta-carotène et le lycopène. Ceux-ci fabriquent la couleur jaune, orange, rouge et vert foncé des fruits et légumes. Les caroténoïdes peuvent se transformer en vitamine A dans l'organisme.

Cette mise en évidence de certains aliments aux vertus quasi miraculeuses pour la santé se concrétise dans la nutrithérapie. Le Dr Richard Béliveau[1] estime qu'on peut tenir en respect les cellules cancéreuses grâce à une alimentation spécifique. Le sulforaphane, le lycopène, les polyphénols, la pipérine, les anthocyanidines, etc., sont des substances phytochimiques qui possèdent des propriétés pharmacologiques et antioxydantes susceptibles de prévenir ou de guérir non seulement certains cancers, mais aussi des maladies comme la fibrose kystique et les troubles relatifs aux systèmes immunitaire,

La surconsommation des gras saturés, particulièrement de la viande rouge, conduit à bien des problèmes de santé. En effet, cela entraîne des carences vitaminiques, car le métabolisme de la viande rouge, par exemple, commande des doses élevées de vitamines, tout en surchargeant le foie, les reins et les intestins en raison de ses déchets azotés, notamment l'acide urique. Le Dr Catherine Kousmine et le neurologue Roy L. Swank avaient déjà souligné, dans les années 70, que les mauvais gras amplifient l'inflammation chez les personnes atteintes de maladies telles l'arthrose, l'arthrite ou la sclérose en plaques alors que les oméga-3 de certains poissons ont un effet contraire. Et l'absence de fibres dans les éléments nutritifs, à base de matières grasses, ralentit le transit intestinal, ce qui prolonge le contact nocif des acides biliaires avec les muqueuses de l'intestin pour favoriser ainsi le cancer colorectal, au 2e rang des cancers entraînant la mort, après le cancer du poumon. Les aliments gras sont aussi liés, dans une large mesure, au cancer de la prostate et du sein ainsi qu'à la maladie cardiovasculaire.

Et que penser des gras hydrogénés appelés *gras trans*? L'hydrogénation, rappelons-le, est un procédé industriel par lequel des huiles à l'état liquide deviennent solides grâce à l'ajout d'hydrogène. Quand on parle d'*hydrogénation*, on veut dire *trans*formation chimique d'acides gras, d'où l'expression, *gras trans,* qui augmentent la durée de conservation des aliments. Les gras trans ont fait l'objet de plusieurs études qui démontrent, sans l'ombre d'un doute, leurs effets pervers sur la santé au même titre que les gras saturés. Les gras trans se trouvent avant tout dans les produits commerciaux de pâtisserie et de boulangerie: biscuits, céréales, craquelins, barres granola, gâteaux, margarines hydrogénées, muffins, sauces, soupes, tartelettes, etc.

Qui plus est, si les gras saturés augmentent le taux de LDL, dit *mauvais cholestérol*, les gras trans haussent également le LDL, mais diminuent aussi le taux de HDL, le *bon cholestérol*; ils élèveraient également la viscosité du sang. Peu de choses sont naturelles dans le produit hydrogéné, ce qui explique sa piètre valeur nutritive sans oublier les dangers pour le système cardiovasculaire et son incidence sur le cancer du sein et de la prostate. À quand une législation qui pourrait bannir les *gras trans* de nos aliments?

• Le sucre raffiné

Camouflé dans les éléments nutritifs, portant souvent des noms en *ose* comme glucose, saccharose, dextrose, maltrose, sucrose, le sucre raffiné prend de plus en plus la place des matières grasses dans la récente industrie du *faible-en-gras*. Il est présent à peu près partout, du pain blanc et des craquelins au ketchup! Il demeure une des causes premières de la carie dentaire, de la gingivite, de l'obésité, du diabète, du cancer et même de la maladie cardiaque. Les chercheurs ont récemment découvert que les sucres raffinés peuvent être aussi dangereux pour les artères que l'excès de gras saturés. D'après le Dr Walter C. Willet, professeur d'épidémiologie et de nutrition et président de la prestigieuse Harvard School of Public Health de l'Université Harvard, auteur du livre *Manger, boire et vivre en bonne santé*, le sucre raffiné jouerait un rôle indirect dans l'épaississement des parois vasculaires qui prédispose à la maladie cardiaque et dans l'évolution des cancers du côlon.

Pour sa part, le Dr Joseph Pizzorno, président de la Bastyr University of Naturopathic Medecine des États-Unis, une des plus grandes écoles de naturopathie en Amérique du Nord, soutient que le fait d'absorber une tablette de chocolat de 100 g, en quelques minutes, peut neutraliser le système immunitaire pendant au moins cinq heures.

Le sucre surcharge les glandes surrénales et suractive le pancréas, ce qui augmente la sécrétion de cortisol, une hormone qui affaiblit l'immunité et, dans certains cas, peut déclencher une maladie auto-immune. Autre fait non négligeable : le sucre constitue la nourriture principale des cellules cancéreuses qui, très gourmandes, en consomment cinq fois plus que les cellules normales. L'insuline commandée par une ingestion importante de glucose contribue à son tour à la progression tumorale. Enfin, le sucre paralyse l'activité des lymphocytes qui luttent notamment contre les cellules cancéreuses ; il est donc à proscrire chez les cancéreux. Le sucre raffiné, tout en acidifiant le sang, dénutrifie l'organisme : il épuise les réserves minérales et les vitamines du complexe B.

Il est donc essentiel de lire les étiquettes des produits pour identifier la teneur en sucre. Si le premier ou le deuxième élément des ingrédients est un glucide, le produit n'est peut-être pas des plus recommandables. Une remarque pour terminer : il est moins nocif de consommer des desserts sucrés à la fin d'un repas : les autres aliments ingérés, surtout les protéines, tempèrent la montée de la glycémie dans le sang, ce qui est suivi d'une moindre poussée d'insuline.

• Le sel

Un peu le pendant du sucre, le sel est souvent consommé d'une façon abusive. On le trouve dans une foule d'aliments, les jus de légumes en sont souvent bourrés et il inonde la malbouffe. Il est partout, y compris là où on ne l'attend pas. En effet, la principale source de sel se trouve dans les produits que nous achetons, qui représentent jusqu'à 70 % du sel consommé. Les produits de boulangerie arrivent bon premier : le pain apporterait à lui seul une partie importante de l'apport quotidien de sel. Dans de nombreux plats préparés, dans les aliments transformés, il est utilisé fréquemment et on le repère même dans les glaces. Il permet en particulier de camoufler les goûts amers et d'accentuer les goûts sucrés. Le sel demeure l'ennemi de l'hypertension artérielle.

Selon le *New England Journal of Medecine*, livraison du 18 février 2010, en supprimant une demi-cuillérée par jour de sodium, on réduirait d'une manière significative la morbidité et la mortalité chez les Américains. On pourrait en arriver à 120 000 nouveaux cas de moins de coronopathie, à 66 000 nouveaux cas de moins d'accident vasculaire cérébral et à 99 000 nouveaux cas de moins d'infarctus du myocarde. En France, chaque année, 25 000 décès seraient liés à l'excès de chlorure de sodium, selon les scientifiques.

Des fibres alimentaires et de l'eau

Les fibres devraient accompagner régulièrement nos repas. La communauté scientifique a mis beaucoup de temps avant de reconnaître les bienfaits de ces substances. Dans les années 70, quand le Dr Denis Burkitt commença à soutenir que le pain de blé entier pouvait réduire les risques de crise cardiaque, bien des gens ont cru qu'il était un granola original ou un farfelu de l'alimentation naturelle. Par la suite, ce chirurgien britannique est devenu une sommité du monde médical; ses idées ont modifié radicalement les moyens de lutter contre les maladies les plus mortelles du 20e siècle. Rien d'étonnant à ce que le Dr Burkitt ait reçu moult doctorats honorifiques et des récompenses diverses.

Sa pensée est pourtant simple. Alors qu'il était médecin et qu'il effectuait des recherches sur les fibres en Ouganda, il a en effet découvert que les maladies graves du monde occidental, maladie cardiaque, cancer colorectal, appendicite, diabète, pierres au rein de même que l'obésité étaient à peu près inexistantes en Afrique où l'on consomme plus de produits céréaliers, de légumineuses et de poisson. Ses études portaient sur 500 hôpitaux du Tiers-Monde. En 1975, il publia sa théorie selon laquelle une faible consommation de fibres chez la population des pays riches a pour conséquence un taux élevé de maladies dégénératives propres à ces sociétés.

Plus précisément, les fibres servent à régulariser le fonctionnement du côlon, en augmentant le volume fécal; associées à une bonne quantité d'eau, elles permettent de lutter efficacement contre la constipation. Les personnes qui en consomment 35 g par jour diminueraient leurs risques de cancer colorectal de 40 % par rapport à celles n'en consommant que 15 g. Les fibres maintiennent aussi à la normale les taux de lipides et de glucose sanguin, tout en créant un effet de satiété; elles sont ainsi un coupe-faim. Elles contribuent, enfin, à réduire la quantité de cholestérol et de triglycérides dans l'organisme en se liant aux différents gras.

Les fruits, les légumes, le pain et les pâtes de blé entier contiennent une bonne proportion de fibres. Par ailleurs, les différents produits à base de céréales complètes ne sont pas à délaisser, bien au contraire. Les noix constituent aussi une autre bonne source de fibres alimentaires. Et nous n'en avons que l'embarras du choix : amande, arachide, aveline, cajou, graines de citrouille, de sésame et de tournesol, noix du Brésil... S'ajoutent les légumineuses, protéines de valeur égale à la viande ; ce peut être les pois verts, les pois chiches, les haricots, les lentilles, les pois jaunes et les fèves. La ration quotidienne recommandée de fibres alimentaires est d'au moins 30 g.

L'eau, cet élixir de vie, demeure le complément indispensable des fibres. Personne n'ignore que le corps humain est composé de près de 70 % d'eau et qu'il est hautement important de consommer environ six verres d'eau par jour. Plusieurs fonctions métaboliques misent sur l'eau comme la digestion, l'absorption et l'excrétion. L'eau sert à transporter les substances alimentaires à travers le corps, maintient la température à la normale et permet d'évacuer les déchets de l'organisme. Elle est éliminée par les reins, la peau et les poumons. Il est essentiel de remplacer l'eau perdue lors de la transpiration ou de l'élimination, ce qui représente environ 2,5 litres chaque jour. Un être humain peut survivre cinq semaines sans nourriture, mais pas plus de cinq jours sans boire !

Avec raison, bien des personnes s'interrogent sur la qualité de l'eau du robinet même si les autorités municipales affirment que cette eau est excellente pour la santé. On peut entretenir des doutes raisonnables quant à tous les résidus qui peuvent la polluer à des degrés divers et à la chloration qu'elle subit.

Et quels sont les effets synergiques des poisons comme le mercure, le plomb, le cadmium, les hydrocarbures déversés dans nos cours d'eau par les grandes industries polluantes ? Les experts en toxicologie s'y perdent en conjectures. Il faut donc se méfier de l'eau du robinet même si les autorités municipales nous en vantent les mérites.

Les superaliments

Éléments nutritifs tout à fait remarquables, police d'assurance du bien-vieillir, les superaliments appartiennent à la grande classe des produits de santé naturels. Ils sont surnommés ainsi parce qu'ils possèdent une concentration exceptionnelle de vitamines, de minéraux, d'enzymes, de protéines, de lipides ou de glucides et qu'ils rendent à notre organisme de précieux services. Ils comblent de nombreux déséquilibres, aident à prévenir les grandes maladies de ce 3e millénaire, facilitent la reconquête d'une santé vacillante et conduisent à une santé optimale. Vérité indéniable : les superaliments influent sur les capacités mentales et peuvent ainsi accroître le fonctionnement intellectuel, en favorisant notamment la mémorisation, la vivacité d'esprit, la concentration, etc. Ils sont donc indiqués pour ralentir le vieillissement.

Mais qui devrait consommer des superaliments ? Un peu comme les suppléments alimentaires, vous n'avez pas besoin de superaliments si votre hérédité ne comporte aucun facteur de risque, si vous vivez dans un milieu où la pollution est absente, si vous ne subissez aucun stress, si vous êtes jeune, si vous n'êtes pas ménopausée, si votre alimentation est parfaitement saine, sans pesticide ni agent de conservation, si vous ne prenez aucun médicament, si vous faites régulièrement de l'exercice, bref, si vous vivez au paradis terrestre de nos premiers parents ! Examinons de plus près ce que sont les superaliments les plus connus :

- l'ail : immunostimulant, antiseptique et dépuratif,
- le chocolat noir, 70 % de cacao : antioxydant,
- les enzymes digestives : pour une meilleure assimilation des aliments,
- les épices : antioxydantes et anticancer,
- la gelée royale : tonifiante et régénératrice,
- le germe de blé : pour ses vitamines et ses minéraux,
- le ginseng : pour la vitalité et le fonctionnement cérébral,
- les huiles de 1re pression à froid : pour leurs multiples qualités,
- la levure alimentaire : reminéralisante et tonifiante,
- les noix : pour leurs fibres, leurs protéines, leur vitamine E,
- les probiotiques : pour la flore intestinale et l'immunité,
- le thé vert : puissant antioxydant.

Bien sûr, la consommation des superaliments doit se faire selon des règles précises. S'il est simple et facile de boire du thé vert quelques fois par jour, de consommer des noix, du germe de blé ou des épices et d'utiliser systématiquement les huiles de 1re pression à froid dans notre alimentation, la prise de la gelée royale ou du ginseng doit cependant répondre à certaines conditions. D'où l'importance de consulter un professionnel de la santé avant d'introduire dans son régime certaines de ces substances.

Il existe bien d'autres aliments qui ont de remarquables propriétés antioxydantes ou immunostimulantes. Pour en savoir davantage, le lecteur pourra consulter le site Web *The Wold's Healthiest Foods*.

L'obésité

Vérité souvent méconnue : environ un humain sur quatre accuse un surpoids. Le nombre d'obèses dans le monde, selon l'OMS, est passé de 200 millions en 1995 à 400 millions en 2005 et l'organisme prévoit que, d'ici 2015, quelque 2,3 milliards de personnes auront un surplus de poids et plus de 700 millions seront obèses. Le Dr Dominique Garrel, endocrinologue, fait observer que *plus du tiers de la population américaine est obèse et en 2015, c'est-à-dire demain, plus de la moitié le sera si la tendance se maintient. Au Canada, les chiffres sont légèrement inférieurs, (le quart actuellement et le tiers en 2015), mais la tendance à l'augmentation est la même*[1].

L'obésité est définie par un excédent de poids de 15 % par rapport au «poids santé» alors que l'embonpoint l'est à 10 %. Le calcul de l'indice de masse corporelle (IMC) permet d'évaluer le risque de maladies liées à un excès ou à une insuffisance de poids. Il s'obtient en divisant le poids en kilo par la taille en mètre élevée au carré. L'obésité correspond à un IMC supérieur à 30 : entre 20 et 25, le poids est considéré comme normal, en dessous, la personne est mince, voire trop mince et, au-dessus, c'est la zone de surcharge pondérale. L'obésité se répand à un rythme effarant dans le monde occidental. Plus de 40 millions d'Européens en sont affectés, comme l'ont constaté les participants au sommet européen de Varsovie, à la fin d'avril 2004, ce qui menace la santé des populations et la croissance économique.

Le phénomène a même gagné la Chine. Celle-ci est passée, depuis une quinzaine d'années, à une alimentation de société plus industrialisée où les chaînes occidentales de *restaurant-minute*, comme *McDonald's* et *Kentucky Fried Chicken,* sollicitent jeunes et moins jeunes. Patrie de la malbouffe, les États-Unis où deux personnes sur trois affichent un excédent pondéral demeurent le symbole de l'obésité dont le taux a plus que doublé entre 1980 et aujourd'hui. Presque 65 % des Américains[2] souffrent d'un surplus de poids et plus de 30 % sont victimes d'obésité.

Chez nous, près de la moitié des adultes ont un surplus pondéral. Une étude récente de Statistique Canada (mars 2011) indique que près de 25 % des Canadiens sont obèses et, chez les personnes du groupe 60-74 ans, le taux est de 32 %. Au Québec, environ 18 % de la population souffre d'obésité et ce chiffre est à la hausse. Près d'un Québécois sur trois, soit 29 % de la population, souffrirait d'embonpoint, présentant un indice de masse corporelle plus grand que 27. À Montréal, 12,4 % de la population serait obèse.

À l'obésité sont évidemment reliées des répercussions psychologiques et sociales peu enviables : maladies cardio-vasculaires, accidents vasculaires cérébraux, diabète, troubles digestifs et arthrosiques ainsi qu'un bon nombre de cancers. Plus de 100 000 cancers sont en lien, chaque année aux États-Unis, avec l'obésité ou un excès de poids, selon un rapport de l'American Institute for Cancer Research. L'obésité morbide, elle, avec un IMC supérieur à 40, abrégerait la vie de 10 à 15 ans. Plus le poids augmente, plus les risques de maladie apparaissent et plus le vieillissement s'accélère.

Des travaux récents, publiés au printemps 2005 dans le *British Medical Journal*, établissent un lien entre l'obésité et la démence. Menée par la Fondation médicale Kaiser Permanente et l'université de la Californie, l'étude a permis de suivre 10 276 personnes pendant 27 ans en moyenne : plus on est gros à 40 ans, plus les risques de démence s'accroissent lorsqu'on vieillit. Par ailleurs, chez l'obèse, la perturbation de l'image corporelle entraîne souvent un rejet de son corps de même qu'une mésestime de soi à laquelle se joignent des sentiments d'incompréhension et d'exclusion.

Le secret de la perte du poids réside essentiellement dans le changement des habitudes de vie : manger moins, manger mieux et bouger davantage, en tenant compte du rapport équilibré *prise de calories* et *dépenses énergétiques*.

Adopter un mode alimentaire sain demeure une clé indispensable du bien-vieillir. Évitons le plus possible les excès de gras saturés de la viande rouge, des produits raffinés, de la friture, méfions-nous du sucre raffiné et du sel à outrance et consommons davantage de fruits et de légumes, généralement tous recommandables, tels sont les principaux conseils qui peuvent permettre d'atteindre les objectifs d'une meilleure alimentation. Et rappelons-nous que l'aliment idéal n'existe pas et que c'est la conjugaison d'aliments variés qui apporte tous les nutriments indispensables à une bonne santé.

Notes et références

1. Dominique GARREL, *Question de maigrir. La vérité sur l'obésité... pandémie du siècle,* Saint-Sauveur, Marcel Broquet éditeur, 2010, p. 10-11.

2. Les ravages de l'obésité risquent de faire perdre les gains obtenus, depuis quelques années, dans le domaine de la longévité particulièrement aux États-Unis : une recherche de l'Université de l'Illinois à Chicago voudrait que, d'ici 50 ans, l'obésité réduirait de deux à cinq ans l'espérance de vie des Américains.

CHAPITRE 3

Sachez résister au stress

Votre vie est ce que vos pensées en font.

Marc Aurèle

Le calme, la quiétude, la sérénité. Un état physique et mental qu'on devrait retrouver chez tous les aînés qui, après des années de labeur, mériteraient bien de vivre heureux. Hélas ! la réalité est tout autre : plusieurs personnes âgées n'arrivent pas, pour de multiples raisons, à découvrir cette tranquillité de l'âme et du corps. Leurs préoccupations diverses, l'oisiveté, les relations interpersonnelles peu enrichissantes ou rares, la solitude, leur mode de vie font en sorte qu'elles sont déprimées, anxieuses ou stressées. Ces gens ignorent la bonne manière de bien vieillir.

C'est un lieu commun de répéter que les émotions néga-tives sont à l'origine de bien des maladies. Un grand nombre de pathologies ne sont-elles pas d'origine psychosomatique ? Pionnier de l'étude des troubles organiques liés à des facteurs d'ordre psychique, le Dr Franz Alexander de l'Institut de re-cherches psychiatriques et psychosomatiques du Mount Sinai Hospital de Los Angeles explique justement : *L'esprit (psukê) régit le corps (sôma). Toutes nos émotions sans exception sont accompagnées de modifications physiologiques. La crainte se tra-duit par des palpitations. La colère, par une accélération cardiaque, par l'élévation de la tension artérielle et par la modification du métabolisme des hydrates de carbone. Des stress continus peuvent susciter des ennuis fonctionnels comme le mal de tête ou des spasmes intestinaux, et même une maladie lésionnelle telle que l'ulcère d'estomac. Un stress intense, un choc émotionnel mal géré pourraient même conduire au cancer*[1].

D'après les données du ministère de la Santé et des Services sociaux du Québec, plus de la moitié des consultations chez le médecin relèvent de situations stressantes. Pour sa part, dans son ouvrage, *La maladie a-t-elle un sens?*, le Dr Thierry Janssen va plus loin en affirmant : *On considère que 75 à 90 % des consultations médicales sont motivées par des problèmes en relation avec le stress.* Il faut parler ici d'un stress tenace, répété, continu qui finit par fragiliser la personne et la prédispose à la maladie.

Le stress

Examinons de plus près maintenant la nature du stress. Une nuance s'impose d'abord : il n'y a pas de vie sans stress, d'où cette distinction essentielle entre le stress positif et le stress négatif. Vous êtes en train de lire, bien installé dans votre fauteuil, et quelqu'un frappe à la porte de votre domicile ; vous vous levez pour aller répondre. Voilà l'exemple d'un stress normal : un stimulus a commandé chez vous un changement, une réponse et une adaptation de tout votre organisme. Le stress est donc normal dans la mesure où il est un stimulant pour aider à atteindre un objectif : terminer des travaux de rénovation, préparer une fête, affronter l'échéance des comptes courants ou relever le défi de gagner un tournoi d'échecs ou de bridge ! Le stress s'avère donc indispensable à la vie ; il accroît même la motivation et la confiance en soi.

Il en va autrement des émotions négatives ou du stress dommageable pour la santé. De la même manière que la poutre de métal, sous une pression, subit un stress avec un risque de rupture, l'organisme humain peut crouler sous le poids des agressions de toutes sortes. S'inquiéter outre mesure pour ses placements financiers ou pour ses relations familiales s'avère néfaste pour la santé. À noter que le manque de sommeil, le tabagisme et la consommation abusive d'alcool contribuent à créer par eux-mêmes une situation de stress.

Quant au stress post-traumatique, il est d'une autre nature. Il survient après un choc émotif grave, un accident de voiture, une agression personnelle, la mort d'un proche, et il peut engendrer, lui aussi, une kyrielle de réactions. Il est alors souhaitable de recourir aux services d'un professionnel de la santé mentale pour surmonter ces épreuves.

• **Les réactions physiologiques**
Dans une situation de stress négatif, le corps réagit comme s'il était victime d'une agression et les réponses sont littéralement biochimiques. Le professeur Kaveh Danechi, Ph. D., décrit bien les principaux effets du stress :

–   Augmentation de la fréquence et de la force des battements cardiaques et augmentation de la pression artérielle.

–   Constriction des vaisseaux de la peau et de la plupart des viscères.

- Dilatation des vaisseaux des muscles squelettiques, des poumons, du cœur et de l'encéphale.

- Dilatation des voies respiratoires et accélération de la respiration.

- Augmentation du volume sanguin, de la production des globules rouges et des capacités de coagulation.

- Libération d'une grande quantité de glucose par le foie, provoquant une hyperglycémie, une plus grande production de chaleur et une sudation abondante.

- Diminution des activités du système digestif, du système reproducteur et, dans une certaine mesure, du système urinaire[2].

Par ailleurs, les effets du stress sur le système immunitaire méritent considération. Dans les situations stressantes, les corticostéroïdes, hormones libérées par les glandes surrénales, et le cortisol en particulier, affaiblissent notamment les mécanismes de défense. À cet égard, des études américaines ont démontré une diminution des immunoglobulines, anticorps ou cellules de défense, chez les étudiants universitaires en période d'examens. D'autres recherches ont aussi prouvé l'immunodéficience des patients qui éprouvaient beaucoup d'angoisse à la veille d'une intervention chirurgicale. Plusieurs observations ont révélé l'incidence accrue des infections ORL chez les athlètes, la veille des compétitions, et chez les enfants des mères anxieuses. Le stress entrerait également en cause dans les maladies auto-immunes comme la polyarthrite rhumatoïde et certains cancers. On estime que le stress chronique peut augmenter de 90 % les risques de contracter un rhume.

Les effets immunosuppresseurs du stress ont donc été mis en évidence dans de nombreuses circonstances de la vie jugées comme difficiles et pénibles.

• Symptômes et conséquences

Nombreux et variés sont les symptômes du stress. Les manifestations vont de la tension musculaire, des douleurs dorsales, de la migraine occasionnelle, des palpitations, de la fatigue constante, de l'insomnie matinale, des pleurs jusqu'à l'irritabilité, à l'agressivité et à la dépression. Et combien de troubles du comportement se rattachent au stress, tels la boulimie, l'anorexie, le tabagisme, l'alcoolisme, le parler incessant, l'agitation nerveuse, l'abus des médicaments et la dépendance aux drogues! Dans les situations stressantes qui perdurent, parce qu'elles affaiblissement le système immunitaire, les conséquences mesurables sur la santé ne tardent pas à poindre. Maladies gastro-intestinales, hypertension, arythmie, infarctus, affections dermatologiques, endocriniennes et gynécologiques, diabète, troubles anxieux comme les obsessions, problèmes sexuels, crises de panique, accidents vasculaires cérébraux, voire le cancer et la mort. Tristes méfaits, surtout pour les individus fragilisés, de cette surcharge psychique.

En bref, du point de vue physiologique, les émotions négatives répétées sont des décharges chimiques et hormonales du système nerveux. Ce stress affecte le fonctionnement des principaux organes et du système immunitaire, tout en influant sur un bon nombre de substances biologiques qui régulent les états physiques. La mécanique humaine ne peut donc pas demeurer indifférente à ce phénomène; c'est la raison pour laquelle, selon des chercheurs, chez les personnes stressées et agressives, le risque de mort prématurée causée par le cancer ou la maladie cardiovasculaire est plus élevé de 42 % que chez les gens calmes.

La gestion du stress

Maîtriser le stress signifie que l'on peut intervenir dans sa propre vie pour y apporter des changements capables d'alléger ou de résoudre les difficultés. Il est donc possible de gérer son stress. Voici une démarche simple qui se concrétise en deux étapes : une analyse de la situation et l'application d'une hygiène de vie permettant de s'attaquer aux causes.

• L'analyse de la situation

Il nous faut d'abord prendre conscience de la situation stressante qui nous accable et c'est là le premier travail personnel à faire. Quelles sont les causes de nos soucis ? S'agit-il de certaines relations sociales pénibles ? Nous manque-t-il du temps pour nous adonner à nos diverses activités ? La circulation automobile nous perturbe-t-elle ? Les discussions de couple sont-elles souvent tendues ? Les ennuis familiaux nous affligent-ils beaucoup ?

Les stresseurs peuvent être d'ordre psychologique, comme le divorce, la mort d'une personne estimée, le déménagement, les frustrations de toutes sortes, les contrariétés, etc. Ils peuvent être aussi physiques : le froid ou la chaleur excessive, une mauvaise alimentation, le bruit excessif, la pollution de l'environnement... L'important est de bien cerner les causes de la situation stressante. En quoi consiste-t-elle ? D'où provient-elle ? Quand ? Comment m'affecte-t-elle ?

• L'application d'une hygiène de vie

On doit d'abord bien comprendre que les moyens proposés se complètent les uns les autres pour apporter des changements bénéfiques. Si votre alimentation continue d'être carencée et que votre pensée reste toujours pessimiste et négative, même si vous vous mettez à l'exercice, il y a beaucoup à parier que votre stress n'en sera pas très allégé. Bref, l'application d'une hygiène de vie exige des modifications profondes dans les habitudes de fonctionnement et de pensée. Nous vous proposons ci-dessous différentes façons de réduire le stress : il vous appartient de choisir celles qui vous conviennent et de les appliquer fidèlement.

Voici brièvement des moyens pour lutter contre le stress.

➤ Une saine alimentation : les excès de table et les aliments inappropriés (produits raffinés, viande rouge, charcuterie, sucre blanc) sont à bannir.

➤ La respiration profonde : s'arrêter et se concentrer pour inspirer profondément, bien remplir ses poumons d'air, et expirer. Durant une dizaine de minutes, plusieurs fois par jour. À appliquer systématiquement dans une situation stressante.

➤ La relaxation : s'asseoir confortablement, s'étendre puis écouter une musique douce. Dans un parc, contempler un paysage...

➤ L'exercice physique : antidote aux malaises psychologiques. Une marche rapide de 20 minutes est source de calme et de bien-être.

➤ Se faire plaisir : rire, se distraire, aller au cinéma, voir des amis, jouer au scrabble, etc.

➤ La méditation : technique de détente qui exige une concentration sur un sujet précis, pendant une vingtaine de minutes, de manière à écarter de l'esprit toute autre chose. Effets de relaxation assurés.

➤ La sieste est aussi salutaire pour abaisser la tension nerveuse. Même si vous ne dormez pas, les bienfaits seront réels. Une sieste d'une trentaine de minutes par jour abaisse le taux de cortisol, hormone du stress, favorise le repos musculaire et la récupération de l'énergie, tout en haussant la concentration et la vigilance. Indispensable pour les travailleurs intellectuels.

Le pouvoir de la pensée

La pensée jouit d'une influence prépondérante sur notre mode de vie et particulièrement sur notre santé ; elle peut intervenir pour construire ou détruire notre existence. Un apothicaire français, Émile Coué, considéré comme le père de la pensée positive, faisait répéter à ses clients des expressions comme *Tous les jours, je vais de mieux en mieux !* Certains ne croient pas à ce concept et le trouvent même ridicule ! C'est ignorer, dans une bonne mesure, la nature et le pouvoir de la pensée humaine.

En effet, la pensée est au cœur de nos activités pour donner à la vie toute sa continuité. Elle est intimement liée à nos sensations et à nos émotions, au langage et aux fluctuations de nos idées qui marquent notre quotidien. Des philosophes vont jusqu'à dire que l'homme n'existe que par la pensée. Jaillissement d'énergie, dominant la matière qui en est le support physique, la pensée nous permet de juger de notre environnement et d'orienter finalement, par son rôle majeur, nos choix de vie. Personne ne peut donc nier le pouvoir de la pensée sur le fonctionnement mental. Et grâce à elle, nous pouvons lutter efficacement contre les situations stressantes.

C'est la pensée positive qui permet de voir le bon côté des choses ou des événements pour nous procurer ainsi un bien-être profond. Elle est l'expression d'une harmonie avec notre entourage et notre environnement. Nous sommes tous plus ou moins harcelés de mauvaises nouvelles, de peurs ou d'émotions perturbantes : une pollution de l'esprit ! Il nous appartient alors de chasser ces idées pour les remplacer positivement.

On voit donc l'importance de l'autopersuasion et de l'affirmation mentale, faites au présent, toujours liées à la volonté, pour nourrir notre pensée d'éléments positifs. Les mots créent les idées, c'est bien connu ! *Je suis en paix ! Du calme ! Je suis fort ! Mon esprit se porte mieux ! Je suis moins tendu ! Ça va bien aujourd'hui ! Je vais réussir ! Ma santé prend du mieux ! Je suis dans la bonne voie !* Voilà des leitmotivs, des phrases saines et constructives qui sont le propre de la pensée positive capable d'influencer heureusement notre quotidien.

La visualisation et la méditation s'inscrivent parfaitement dans le courant du pouvoir de la pensée. Programmation de l'esprit, la visualisation est une méthode par laquelle vous pouvez voir en pensée ce qui pourrait arriver dans votre vie en mettant l'accent sur les moyens d'atteindre un objectif. Les athlètes emploient beaucoup la technique. Alexandre Despatie, immobile sur la planche pendant quelques secondes, imagine les séquences d'un plongeon impeccable... Vous allez en entrevue ? Visualisez la rencontre dans le sens d'une perfection à viser. L'esprit ne ferait pas de différence entre l'expérience réellement vécue et celle qui est intensément pensée ou imaginée. La visualisation, un renforcement pour le mieux et, comme l'a expérimenté le Dr Carl Simonton, oncologue américain, elle peut favoriser la guérison des maladies graves !

La méditation offre des ressemblances avec la visualisation à la différence que, en méditant, l'esprit tente de se concentrer sur un point bien précis, le mantra, moyen de penser qui peut être un son, une image, une odeur ou même notre propre respiration. D'une durée d'environ 20 minutes, la technique exige que l'on ramène constamment sa pensée à ce point, sans se laisser distraire. La technique diminue les symptômes du stress, crée un apaisement du corps et de l'esprit, amoindrit l'anxiété générale.

Stress et santé mentale

La gestion du stress s'inscrit dans le contexte très large de la santé mentale qui est essentiellement une adaptation efficace à notre entourage, à la vie de tous les jours, sans quoi, il devient difficile d'être heureux. La souffrance morale est une épreuve redoutable pour l'être humain surtout lorsqu'il n'est pas en mesure de s'en affranchir aisément. La détresse psychologique s'avère même un prédicteur important de décès chez certaines personnes. En ce sens, la santé mentale vient jouer un rôle de premier plan dans toute existence ; l'équilibre psychoémotif fait la différence entre des personnes joyeuses, bien dans leur peau, et les autres qui souffrent de malaises à des degrés divers.

Des traits de personnalité peuvent donc caractériser une bonne santé mentale chez les aînés pour bien combattre le stress et vieillir avec grâce. S'accepter avec ses qualités, ses défauts et ses limites, savoir lutter contre les tensions occasionnelles, bien gérer ses énergies, percevoir son environnement et ses proches avec réalisme, manifester de l'autonomie, être capable de faire des choix et de trouver des solutions à ses problèmes, s'occuper à des tâches, à des loisirs ou à des activités bénévoles, tels sont les éléments d'une excellente santé mentale.

Il n'est donc pas exagéré de soutenir que l'équilibre psychoémotif demeure une clé essentielle d'un avancé en âge réussi.

Notes et références

1. Franz ALEXANDER, *Cancer : psychosomatique* en ligne enarchpsyc.ama-assn. org/cgi/reprint/11/3/229.pdf. (Consulté le 15 mars 2011).

2. Kaveh DANECHI, Ph. D., *Physiologie et vieillissement,* Montréal, Faculté de l'éducation permanente, Université de Montréal, 2000, p. 6.17-6.18.

CHAPITRE 4

Bougez davantage

La sédentarité est un élément qui contribue à l'expression plus ou moins rapide du vieillissement. L'activité physique est indispensable au maintien des masses musculaire et osseuse.

D^{re} Marie-Jeanne KERGOAT

Depuis plusieurs années, on répète que l'activité physique demeure un facteur essentiel pour le maintien de la santé et la lutte contre le vieillissement. Rien de plus vrai. Jusqu'à un certain point, plusieurs déterminants de notre santé nous échappent, comme l'hérédité, l'âge, le sexe, une malformation ou un handicap quelconque. Mais nous pouvons maîtriser, quel que soit notre âge, tout ce qui touche la condition physique : le développement musculaire, la capacité respiratoire, la flexibilité, la force et l'endurance.

L'activité physique est donc indispensable au mieux-vieillir. On pourrait la définir comme tout mouvement produit par la contraction des muscles qui sollicite une dépense énergétique supérieure à celle du métabolisme au repos. L'exercice favorise la bonne marche des organes vitaux, comme le cœur, les poumons, le foie, les intestins et même le cerveau grâce à un apport d'oxygène. Il contribue également à créer un équilibre entre l'absorption des calories et la dépense énergétique, si nécessaire à la conservation d'un poids santé. L'entretien musculaire et la souplesse corporelle sont aussi redevables à l'activité physique, sans passer sous silence la relaxation et la détente. Plus l'on vieillit, plus la nécessité de bouger s'impose comme une nécessité incontournable. Et tant mieux si vous pratiquez un sport avec régularité, que ce soit le tennis, le vélo, le golf ou le ski. Votre motivation en sera d'autant plus solide pour bouger.

D'autres raisons incitatives existent pour encourager l'exercice. Vous aurez plus d'énergie et de souffle quand vous vous adonnerez à vos occupations quotidiennes, vous vous sentirez mieux dans votre peau, jouissant de plus d'assurance et de confiance en vous. Faire de l'exercice libère des hormones euphorisantes, les endorphines, qui possèdent une vertu calmante, rééquilibrent le mental, luttent contre la déprime et procurent un grand état de bien-être. À n'en pas douter, l'activité physique est une clé pour bien vieillir.

Les bienfaits de la marche rapide

S'il est une activité physique simple, naturelle, efficace et accessible à tous, c'est bien la marche rapide. Et quoi de plus agréable que de déambuler dans un parc, un boisé, un sentier longeant une étendue d'eau ou dans une rue résidentielle protégée du soleil par de grands arbres. Vous pouvez marcher seul, avec quelques amis, des membres de votre famille ou en groupe ; évitez, bien sûr, les rues achalandées où vous courez le risque d'affronter une trop grande pollution. Et, l'hiver, vous pouvez marcher, si le temps ne le permet pas, dans les centres commerciaux.

Multiples sont les bénéfices que vous pouvez retirer de la marche rapide. Cet exercice stimule le système cardio-respiratoire et le péristaltisme intestinal, active la circulation sanguine, régénère votre énergie en diminuant la fatigue, fortifie les muscles du dos, augmente la résistance à l'effort et développe la souplesse et le sens de l'équilibre. Sédatif à ne pas négliger, la marche aide à retrouver son calme et à mieux dormir. La régularité est importante : 30 minutes de marche rapide par jour est plus bénéfique que 2 heures de sport intensif, une fois par semaine. Pour les aînés, cet exercice peut soulager maintes douleurs musculaires et arthrosiques, réduire les risques d'ostéoporose et permettre de lutter contre le diabète. Rappelons que marcher rapidement, c'est accomplir entre 100 et 110 pas à la minute, ce qui est à la portée de tout le monde.

Il s'agit d'entreprendre la marche avec modération pour accélérer ensuite jusqu'à la marche rapide, que l'on exécute pendant 15, 20, ou 30 minutes, avant de décélérer. Marchez en respirant bien, la tête haute, les bras de côté, le dos droit, si possible. Vous pouvez mesurer votre fréquence cardiaque, 5 minutes après le début de l'exercice et à la fin ; ne dépassez pas votre Fc maximale. On obtient la fréquence cardiaque maximale d'une personne, cette capacité aérobique chiffrée qu'elle ne doit pas excéder, en soustrayant simplement son âge du chiffre 220. Vous avez 70 ans : on peut établir votre Fc max ainsi : $220 - 70 = 150$. Ce qui veut dire que, lors d'un exercice aérobique, vos pulsations ne devront pas outrepasser le chiffre de 150 indiquant une intensité maximale. On a coutume d'utiliser environ 80 % de la Fc max comme indice d'une intensité acceptable. Ainsi, vous devriez vous en tenir à une fréquence cardiaque d'environ 120, c'est-à-dire 80 % de 150. Vous terminerez votre séance par des étirements. Inutile d'ajouter que le port de bonnes chaussures de sport à semelles épaisses avec coussin d'air s'avère une nécessité fonctionnelle.

Lorsqu'on décide de s'adonner à la marche comme activité physique, l'emploi d'un podomètre est appréciable. Ce compteur du nombre de pas s'installe facilement à la taille et se manie facilement. Il permet de quantifier votre promenade en nombre de pas ou en kilomètres parcourus. Cet appareil économique vous informe de votre activité et vous incite à poursuivre vos objectifs.

L'exercice, le mal de dos et l'ostéoporose

Le mal de dos afflige nombre de personnes, jeunes et surtout les moins jeunes. Les lombalgies sont souvent d'origine musculaire et ligamentaire et représentent 70 % des cas de maux de dos; les 30 % restants relèvent d'une instabilité vertébrale ou d'un problème discal et nerveux qui nécessite la consultation des professionnels de la santé. Fréquentes, très douloureuses parfois, frappant à tout moment et n'importe où, les lombalgies se manifestent pour diverses raisons: faux mouvement, effort prolongé ou violent, tension et stress. Elles apparaissent quand vous en avez plein le dos! Cependant, elles peuvent disparaître en quelques jours, parfois sans aucun traitement, puisque le temps est le grand maître d'œuvre en la matière!

Le secret pour combattre les maux de dos, souvent mineurs, mais quand même ennuyeux et invalidants, réside dans un entraînement musculaire dorsal et abdominal soutenu par des exercices d'étirement, ce qui permet de renforcer le dos en développant la force musculaire et la souplesse. Les flexions des genoux, couché sur le dos, les flexions du bassin et les redressements assis comptent parmi les meilleurs exercices.

L'ostéoporose, elle, demeure un autre un mal de notre époque! Cette détérioration osseuse affecte notamment les aînés et davantage les femmes. Parmi les membres de sa famille ou de ses connaissances, qui n'a pas entendu parler de fractures de la hanche ou du fémur? Dieu merci! la médecine orthopédique est très perfectionnée et les séquelles sont de moins en moins graves. C'est sans contredit l'activité physique qui constitue le meilleur rempart contre l'ostéoporose. En effet, les exercices fortifient les os et facilitent leur reconstruction; ils aident à fixer le calcium dans tout le système osseux. Sans exercice, la prise de calcium est moins efficace. Des recherches ont même démontré que, pour des os solides, l'activité physique est plus importante que la prise de calcium: les os seraient comme les muscles et plus on les sollicite, meilleure est la densité osseuse.

Avec raison, beaucoup d'aînés prennent des suppléments de calcium. Qu'en est-il exactement? Ce qui fait la grande valeur d'un supplément, c'est d'abord la quantité de calcium élémentaire qu'il contient, celui précisément que l'organisme utilise. Les autres composantes, le magnésium et la vitamine D, contribuent à une meilleure absorption. On trouve le supplément sous différentes formes, comme le carbonate, le citrate, le fumarate, le gluconate, le succinate... Le carbonate, la forme la plus populaire, est facilement assimilable, surtout s'il est pris avec un repas, car l'acide gastrique favorise son absorption. Les personnes qui produisent peu d'acide gastrique peuvent utiliser une autre forme comme le citrate, alors que celles qui souffrent d'ostéoporose devraient s'assurer que leur supplément renferme une dose plus élevée de vitamine D, facteur d'assimilation. Bref, calcium, magnésium et vitamine D forment un trio essentiel à une ossature solide, auquel doit s'ajouter nécessairement l'activité physique !

Enfin, il est bon de rappeler que les ennemis du calcium sont les aliments riches en phytates (amandes, légumineuses, comme les haricots blancs et rouges, et le son de blé) et les aliments riches en oxalates (épinards, rhubarbe, patate douce). Il faut aussi ajouter le café, le thé, le cola, les boissons gazeuses, l'excès de protéines... La plupart de ces produits sont à consommer avec modération.

Des aspects psychologiques

L'exercice demeure un rempart aux malaises psychologiques qui sont l'apanage de beaucoup trop d'aînés. Il permet d'évacuer aisément plusieurs réactions de stress. Un expert en activité physique, Richard Chevalier, souligne les effets bénéfiques de l'exercice sur le bien-être et l'équilibre psychosomatique :

1. Réduction immédiate de la tenion musculaire. Contrairement aux tranquillisants (Valium, Ativan et autres) qui détendent les muscles plusieurs minutes après leur ingestion, l'effet bienfaisant de l'exercice est quasi immédiat. Par exemple, une marche rapide de dix minutes provoque une baisse marquée de la tension musculaire et de l'anxiété. (...)

2. Réduction de l'anxiété passagère. Une séance d'exercices aérobiques modérés de 30 minutes réduit l'anxiété passagère pendant deux à quatre heures. L'efficacité de l'exercice se rapproche ainsi de celle d'un tranquillisant comme Ativan. Les chercheurs ont aussi constaté que les personnes physiquement actives sont, en général, moins anxieuses et résistent mieux aux situations stressantes que les personnes sédentaires. (...)

3. Réduction de l'anxiété chronique et des crises de panique. À long terme (trois mois et plus), l'exercice diminue l'anxiété chronique (la personne est toujours anxieuse même quand ça va bien), voire la fréquence des crises de panique. En outre, les personnes physiquement actives supportent mieux que les personnes sédentaires le stress des examens et démontrent une plus grande concentration lorsqu'elles ont des problèmes abstraits à résoudre. (...)

4. Un «remonte-humeur» naturel. L'exercice agit comme un psychotrope (médicament altérant le fonctionnement habituel du cerveau). Par exemple, on sait maintenant que l'exercice élève les taux de sérotonine et de dopamine dans le sang, des neurotransmetteurs qui favorisent la détente et la bonne humeur. Or, les personnes déprimées ont des taux anormalement bas de ces neurotransmetteurs. Notre système hormonal n'est pas indifférent à l'effet de l'exercice. Ainsi, les exercices de longue durée augmentent, par un facteur de cinq, la sécrétion d'endorphines, des hormones euphorisantes, de la même famille que la morphine. (...)[1]

On aura donc compris que l'activité physique peut adéquatement remplacer tranquillisants, sédatifs, psychotropes dans de multiples situations stressantes de la vie quotidienne.

Surveiller son tour de taille

La notion de tour de taille devient capitale quand on traite de poids santé et d'activité physique. Ce concept s'inscrit tout à fait dans une saine philosophie de la prévention pour bien vieillir. En effet, l'obésité abdominale fait des ravages insoupçonnés. L'accumulation de graisse à l'intérieur de l'abdomen ou l'obésité viscérale est à risque, selon la communauté scientifique, comme la plupart des désordres métaboliques. L'excès de tissus adipeux dans l'abdomen, sous la peau et entre les viscères, rend les cellules résistantes à l'insuline : celles-ci n'absorbent pas bien alors le glucose et le taux de la glycémie dans le sang s'élève. Ce qui peut entraîner de l'hypertension, une augmentation du taux de cholestérol et des triglycérides. Nous sommes alors en présence du syndrome X ou du syndrome métabolique, précurseur du diabète de type 2, des troubles cardiovasculaires et des accidents vasculaires cérébraux, sans omettre que ces pathologies demeurent des facteurs de risque de la maladie d'Alzheimer. Gare donc à l'obésité abdominale !

D'après la Chaire de recherche sur l'obésité de l'Université Laval, il est question d'embonpoint abdominal lorsque le tour de taille est supérieur à 80 cm (32 po) chez la femme et à 94 cm (37 po) chez l'homme. Quant à l'obésité abdominale, elle est associée à un tour de taille de 88 cm (34,6 po) chez la femme ou 102 cm (40 po) chez l'homme. Les risques pour la santé deviennent alors non négligeables.

Les médicaments ne sont pas toujours bien indiqués pour soigner le surpoids. En effet, les recherches SYNERGIE sur l'obésité masculine, menées à l'Université Laval et publiées en mai 2009, montrent que l'amélioration des habitudes alimentaires et l'activité physique régulière supervisée sont bénéfiques ; les résultats se comparent favorablement à ceux obtenus à l'aide des médicaments.

> Le Pr Jean-Pierre Després et ses collègues ont suivi pendant trois ans 144 hommes qui présentaient un surpoids avec obésité abdominale et un profil anormal des lipides sanguins. Pour l'étude, les médicaments contre l'obésité ont été remplacés par des menus qui tiennent compte de leurs préférences alimentaires et un programme régulier et personnalisé d'exercices. Les conclusions montrent que les participants ont perdu environ 4 kg et que leur tour de taille a diminué de 5 cm. Ces changements ont entraîné une perte de 18 % du tissu adipeux viscéral, un type de graisses qui accroît le risque de maladies cardiovasculaires et de diabète. Pour le Pr Després, «il n'est pas nécessaire de normaliser le poids corporel et d'atteindre le "poids santé" pour réduire les facteurs de risque cardiovasculaire. Les hommes qui réduisent leur adiposité abdominale viscérale, la fameuse "bedaine de bière", ont de meilleures chances d'améliorer leur profil de risque cardiovasculaire, même si certains sont encore considérés comme obèses»[2].

Tout est en fait une question de répartition corporelle de l'adiposité. Et surveiller son tour de taille en le mesurant n'est pas sorcier ; c'est à la portée de tous. Les solutions à l'obésité abdominale résident dans une alimentation appropriée et l'activité physique.

L'exercice et le cerveau

Qui aurait pu dire, il y a une ou deux décennies, que faire de l'exercice pouvait influencer heureusement l'activité cérébrale et qu'on pourrait en parler comme mesure de prévention? Les recherches récentes l'attestent sans équivoque. Dans un article de *La Presse*, le chroniqueur Richard Chevalier fait allusion à une étude publiée dans la revue *The Journal of Gerontology: Medical Sciences*. Les résultats sont fort étonnants: *Le cerveau des personnes actives physiquement avait perdu beaucoup moins de matière grise et blanche que celui des personnes qui faisaient peu d'exercice. La matière grise abrite les neurones, des cellules indispensables à l'apprentissage et à la mémoire, tandis que la matière blanche se compare à un gigantesque réseau Internet constitué de milliards d'interconnexions (fibres nerveuses) qui transmettent des signaux émis par les neurones au cerveau*[3].

Par ailleurs, la gériatrie reconnaît de plus en plus qu'il existe des modérateurs du vieillissement cérébral: une bonne formation scolaire, la stimulation cognitive et l'activité physique. Dans une conférence prononcée le 27 mai 2010, le professeur Louis Bherer, Ph.D., directeur du Laboratoire d'étude de la santé cognitive des aînés (LESCA) et directeur associé à la recherche clinique au Centre de recherche de l'Institut universitaire de gériatrie de Montréal, ne manquait pas de rappeler que le vieillissement cérébral serait surtout causé par une décroissance des connexions neuronales. Les hypothèses issues de ces recherches en laboratoire démontreraient que, si la stimulation cognitive peut freiner le déclin mental, l'activité physique joue également un rôle primordial pour contrer le vieillissement cérébral. En voici les explications:

➤ L'activité physique soutient l'intégrité cérébrovasculaire en favorisant le transfert de l'oxygène par le biais des globules rouges et en améliorant le flux sanguin.

➤ Elle stimule la communication entre les cellules nerveuses et la création de nouvelles connexions entre les neurones et les nouveaux neurones.

Selon le LESCA, le conditionnement cardiovasculaire serait le plus efficace comme activité physique pour lutter contre le déclin cognitif; le cerveau exige un sang riche en oxygène. Par ailleurs, certaines recherches récentes indiquent que la musculation serait aussi bénéfique pour améliorer le rendement mental des personnes âgées.

Les chutes

Bien que fréquentes et parfois graves, les chutes n'ont pas toujours retenu l'attention de la gérontologie et de la gériatrie qui y voyaient des accidents occasionnels, sans plus. Pourtant, les chutes et leurs conséquences sérieuses sont un obstacle au bien-vieillir. Le célèbre Dr Robert Atkins, cet Américain qui a donné son nom au régime alimentaire hypoglucidique, est décédé en 2003, neuf jours après avoir fait une chute dans la rue; il avait 72 ans. Après l'âge de 65 ans, un Québécois sur trois (un sur deux après 75 ans) est victime au moins d'une chute par année; la moitié des chuteurs éprouvent des ennuis à remarcher et certains en seront tout simplement incapables. Chez les gens de 75 ans et plus, 80 % des blessures les plus graves ont été occasionnées par une chute. Si les femmes tombent deux fois plus que les hommes, les chutes conduisent souvent à une détérioration irréversible du fonctionnement des aînés, à leur placement en institution et à leur déclin prématuré.

D'après l'Institut national de santé publique du Québec, 14 000 aînés sont hospitalisés chaque année après être tombés, souvent à la maison. Les chutes sont la première cause de mort accidentelle chez les personnes de 65 ans et plus alors que 20 % des personnes qui se fracturent une hanche meurent dans l'année suivante. Comme le nombre de décès attribuables aux chutes augmente avec l'âge, on comprendra que les personnes très âgées survivent rarement à une chute.

Les chutes surviennent surtout en dehors du domicile pour les sujets de moins de 75 ans, mais à l'intérieur de la maison pour les 75 ans et plus. Le tiers des aînés vivant à domicile font des chutes et près de la moitié de ces accidents sont causés par un environnement potentiellement dangereux : escaliers, tapis, animaux domestiques, objets divers. Par ailleurs, 57 % des chutes se produisent à domicile et 11 % en résidence.

La prise quotidienne du Prozac ou du Paxil, des inhibiteurs spécifiques de recaptage de la sérotonine, serait la cause de chutes chez plusieurs personnes âgées. Chez celles qui prennent de tels médicaments depuis cinq ans, le risque de fracture est deux fois plus élevé, selon une recherche de l'Université McGill publiée en janvier 2007. Ainsi, sur les 5 008 Canadiens âgés de 50 ans et plus suivis pendant cinq ans, 137 ont avoué qu'ils consommaient des ISRS quotidiennement. Sur ce nombre, 13,5 % ont été victimes de fractures pendant l'étude. Chez les 4 871 qui ne prenaient pas ces antidépresseurs, le pourcentage tombe à 6,5 %. Qui plus est, les chercheurs montréalais ont également démontré que l'usage quotidien de ces inhibiteurs serait associé à une réduction de 4 % de la densité osseuse des hanches et de 2,4 % de la colonne lombaire.

Il va sans dire que les chutes ont un retentissement psychologique considérable chez les aînés. Un sentiment d'échec ou d'humiliation, un sentiment d'impuissance s'emparent souvent des victimes. S'ensuivent inévitablement la peur de retomber et une perte de confiance en soi. Il n'y a qu'un pas, souvent franchi, pour limiter ensuite ses déplacements et restreindre ses activités. Les dernières années de sa vie, l'actrice américaine d'origine allemande, Marlene Dietricht, gardait le lit par crainte des chutes !

L'activité physique, on ne le répétera jamais assez, conserve la souplesse et fortifie les articulations et les muscles. Un exercice comme celui de demeurer quelques secondes debout, en appui sur un seul pied, entretient le sens de l'équilibre ; la marche régulière permet aussi de garder la forme physique. Ainsi peuvent être éloignées les chutes.

Pour clore ce chapitre, rappelons qu'un examen de votre condition physique peut s'imposer si vous êtes sédentaire depuis plusieurs années. De plus, les activités physiques proprement anti-âge sont des activités d'endurance comme la marche rapide, le ski de fond, la natation, la randonnée pédestre, la danse, la bicyclette, le rameur, etc. Bien sûr, cela n'exclut pas les exercices de la vie quotidienne comme l'entretien ménager, le jardinage, la marche qui remplace le déplacement en auto, etc. L'important, c'est de bouger avec régularité ! Et comment ne pas terminer avec cette citation du Dr Kenneth Walker : *Peu de choses combattent aussi bien la vieillesse que l'exercice.*

Notes et références

1. Richard CHEVALIER, « L'exercice et la bonne humeur », *La Presse*, cahier *Actuel Santé*, 10 avril 2005.

2. UNIVERSITÉ LAVAL, *L'amélioration des habitudes de vie est plus bénéfique que les médicaments contre l'obésité*, www.relationsmedias.ulaval.ca/.../amelioration-des-habitudes-vie-est-plus-1831.html – (Consulté le 19 février 2011).

3. Richard, CHEVALIER, « Quand l'exercice monte à la tête ! » *La Presse*, cahier *Actuel Santé*, 22 février 2004.

CHAPITRE 5

Entretenez vos facultés mentales

*Les chercheurs commencent à comprendre combien
une personne peut influencer les facteurs qui contrôlent
la fonction de son cerveau par son alimentation,
des suppléments, l'exercice mental et physique et
de simples changements dans son style de vie.*

Jean CARPER

Le rendement des facultés mentales a peut-être cette particula-
rité : les personnes jeunes ne s'en soucient guère, alors que plus
nous vieillissons, la prise de conscience aidant, le fonctionnement de notre esprit en vient à nous préoccuper davantage.
Fait réconfortant, la communauté scientifique reconnaît de plus
en plus que les personnes âgées ont bien des moyens à leur
disposition pour stimuler l'attention, la concentration, le raisonnement, la vivacité mentale et surtout la mémoire. Inutile
d'ajouter que des facultés mentales alertes s'avèrent de la plus
haute importance dans l'art de bien vieillir.

Le cerveau humain est d'une complexité étonnante ; il
se constitue de 1 400 g de matière gélatineuse et de plus de
100 milliards de neurones, tous reliés entre eux. La neurotrans-
mission est un mécanisme qui permet aux informations de

voyager dans le cerveau; elles se déplacent à vive allure d'un neurone à l'autre, grâce à des impulsions électriques et à des substances chimiques qui jouent un rôle semblable à celui du courant électrique. Les neurotransmetteurs sont au coeur des composantes cérébrales. Il faut lire là-dessus les propos de la gagnante du prix d'excellence en journalisme de l'American Aging Association, Jean Carper:

> *Ce sont ces substances chimiques cérébrales (dont environ 50 ont été identifiées jusqu'ici) qui définissent dans une large mesure qui vous êtes chaque microseconde de votre vie. Passant à travers les neurones un par un, les neurotransmetteurs tracent les voies biochimiques qui peuvent transmettre toutes vos pensées et vos sentiments dans le vaste réseau neuronal du cerveau. Sans neurotransmetteurs, les lumières dans votre cerveau s'éteindraient, car ils* sont *les systèmes d'électrification biochimique du cerveau. Ils sont l'essence de notre mémoire, de notre intelligence, de notre créativité et de nos humeurs*[1].

Ce que nous mangeons exerce une influence prépondérante sur l'action du cerveau. Ainsi, le tryptophane, un acide aminé provenant des protéines, de même que les glucides alimentent les neurones pour fabriquer la sérotonine, neurotransmetteur qui sert à la régulation de l'humeur et du sommeil; les carences en sérotonine peuvent souvent expliquer la dépression, l'impulsivité, une grande impatience, l'agressivité, voire la violence. Quant à la choline, qu'on trouve notamment dans le jaune d'œuf, elle est indispensable à la production de l'acétylcholine, le messager de la mémoire, dont la déficience est liée à la maladie d'Alzheimer. La tyrosine, un autre acide aminé, est à la base de la dopamine, ce neurotransmetteur relié à une coordination motrice efficace, souvent en déficience chez les personnes atteintes de la maladie de Parkinson. Les capacités cérébrales dépendent donc d'une nutrition qualitative, source d'un fonctionnement optimal du cerveau.

Mais qu'en est-il lorsqu'on vieillit? D'aucuns ont prétendu que les neurones se détruisent par millions quand on avance en âge. La littérature scientifique est aujourd'hui unanime: c'est un mythe monumental que de croire en une telle perte neuronale, car le cerveau est en mesure de réorganiser son réseau de cellules nerveuses. Bien sûr, des insuffisances sont toujours susceptibles de causer des défaillances de la mémoire ou un ralentissement des fonctions intellectuelles ou motrices. Ces inconvénients sont moins graves que les dommages entraînés par une alimentation déficiente et surtout par les radicaux libres [2].

Des assaillants redoutables

Selon plusieurs chercheurs, les radicaux libres seraient une des plus grandes causes de vieillissement cérébral, car ils s'attaquent particulièrement aux lipides, ces acides gras qui représentent plus de 50 % de la composition du cerveau.

Chaque moment de notre existence, d'affirmer Jean Carper, *donne lieu à une élégante chorégraphie de vie ou de mort entre les radicaux libres et les antioxydants. Lorsque l'activité des radicaux libres prend le dessus sur celle des antioxydants, il en résulte un déséquilibre appelé dans le jargon scientifique un «stress oxydatif». Les vilains radicaux libres l'emportent sur les antioxydants et endommagent les cellules*[3].

C'est que les neurones sont surtout composés de phospholipides, qui sont des constituants très vulnérables aux radicaux libres, donc à la péroxydation lipidique, phénomène expliquant souvent l'apparition de maladies neurodégénératives, comme l'Alzheimer ou le Parkinson. Le Dr Ray D. Strand écrit, pour sa part, *que le dommage oxydatif causé aux cellules sensibles de notre cerveau constitue le plus grand ennemi du fonctionnement cérébral. Ce dommage engendre une perte de cognition, c'est-à-dire un ralentissement dans notre capacité de réfléchir et de raisonner.*

Une trop grande consommation de gras saturés est également très nocive pour le cerveau. Les gras saturés, comme les gras trans et les huiles raffinées des supermarchés de type oméga-6 (carthame, tournesol, maïs, soja...), contribuent à la détérioration cérébrale et nuisent, bien entendu, à l'apprentissage et au travail de la mémoire. Et que dire aussi des effets pernicieux de l'excès de sucre sur notre cerveau. Il est indéniable que des anomalies dans la glycémie et l'insuline nuisent à la mémoire et au fonctionnement cérébral en général. Et les personnes âgées en sont davantage affectées, parce que leur capacité à métaboliser le glucose diminue, particulièrement dans le cerveau.

Le bon état des artères, par ailleurs, n'est pas étranger à un fonctionnement cérébral efficace. En effet, sans minimiser les dangers de l'hypertension artérielle, diverses substances qui se déplacent dans le système sanguin, comme le cholestérol ou les triglycérides, peuvent malheureusement obstruer les conduits cérébraux, produisant ainsi ce qu'on appelle l'athérosclérose, laquelle peut provoquer le déclin des fonctions mentales.

Et, en ce sens, un autre ennemi guette le cerveau : il s'agit de l'homocystéine, récemment découverte par la médecine, qui représente un puissant facteur de dégénérescence cérébrale. Cet acide aminé, à l'instar des mauvais gras, peut bloquer ou détruire des vaisseaux sanguins, et sa toxicité ralentit parfois les fonctions intellectuelles, tout en nuisant à l'humeur. Cet acide aminé est produit à partir des aliments riches en protéines, notamment en protéines animales. On constate également que l'abus de café et le tabagisme augmentent le taux d'homocystéine dans le sang. Des doses de vitamines du complexe B – l'acide folique, la B_6 et la B_{12} – peuvent remédier aux effets négatifs de cette substance dont la concentration dans le sang, comme celle du cholestérol, peut être mesurée par une analyse sanguine.

En résumé, les radicaux libres, un excès de gras saturés et de sucre, des problèmes artériels, un taux élevé d'homocystéine, tels sont les maux qui peuvent affliger sérieusement le cerveau. Mais il existe, très heureusement, une alimentation spécifique aidée d'une supplémentation adéquate qui permet de protéger et d'entretenir ce merveilleux superordinateur que constitue le cerveau humain.

Les nutriments pour nourrir le cerveau

Les nutriments sont des substances bien assimilables par l'organisme qui contribuent hautement au maintien d'une excellente santé. Bien sûr, on les trouve dans notre alimentation et les produits de santé naturels. Les nutriments sont souvent spécifiques, dans la mesure où ils soutiennent un groupe de cellules en particulier, un organe comme le foie ou un système tel le système nerveux ou squelettique. Examinons ces nutriments si précieux pour les facultés mentales.

• **La vitamine C**

C'est la reine des vitamines, répétons-le ! Bien que nous en ayons parlé au chapitre consacré à l'alimentation, il importe maintenant de souligner son apport dans le rendement intellectuel. Un bon nombre de nutritionnistes affirment que l'alimentation quotidienne fournit toutes les vitamines nécessaires. Mais des recherches montrent que 25 % des Américains ne réussissent pas à prendre le minimum de 60 mg de vitamine C par jour et que 68 % des patients âgés non hospitalisés ont des taux sanguins insuffisants en vitamine C dans leurs globules blancs. Pourtant, cette vitamine est indispensable au bon fonctionnement du cerveau. Voici ce que nous en dit, encore une fois, Jean Carper :

> *Selon des études récentes, vous pouvez prédire quelle sera l'évolution de votre fonction intellectuelle à mesure que vous vieillissez d'après la quantité de vitamine C que vous consommez. Plus votre consommation de vitamine C est élevée, moins vous risquez de voir votre cerveau dégénérer. [...] Les chercheurs ont découvert que les personnes qui prenaient des suppléments de vitamine C étaient moins susceptibles, dans une proportion de 40 %, de connaître des déficits cognitifs graves, et cela peu importe leur niveau d'instruction. Lorsque les consommateurs de suppléments avaient aussi une alimentation riche en vitamine C, leurs risques de déclin intellectuel s'amenuisaient encore davantage et ne se situaient plus qu'à 32 % [4].*

Il ne faut pas oublier non plus que la vitamine C réduit les possibilités d'accidents vasculaires cérébraux (AVC), parce qu'elle limite l'épaississement et l'obstruction des artères carotides pour favoriser ainsi la circulation du sang et de l'oxygène vers le cerveau. Cette diminution du calibre artériel entrerait en cause, après l'âge de 65 ans, dans le déclin de la mémoire et de la fonction cognitive.

• **La vitamine E**

Jouissant d'une remarquable réputation comme antioxydant, la vitamine E est très bénéfique au cerveau, car elle protège les neurones contre les radicaux libres. En fait, cette vitamine est un des plus importants protecteurs du vieillissement cérébral. Elle régularise la fonction neuronale par ses effets sur les neurotransmetteurs et, par son influence sur le système immunitaire, elle atténue l'inflammation qui attaque parfois les cellules, ce qui pourrait conduire à des pathologies neurologiques, comme les AVC et la démence. Et, tout comme la vitamine C, la vitamine E aide à maintenir en bon état les vaisseaux sanguins qui irriguent le cerveau. Associée aux acides gras oméga-3, elle constitue un rempart à bien des pathologies cardiovasculaires. Qui plus est, la vitamine E pourrait restreindre, selon des chercheurs, la progression de la maladie d'Alzheimer et protégerait les sujets âgés contre la maladie de Parkinson[5].

• **La vitamine B$_{12}$**

Les carences en vitamine B$_{12}$ peuvent conduire à des lésions neurologiques capables de causer la désorientation dans l'espace, la perte d'équilibre, la démence, des sautes d'humeur et des troubles de la mémoire : on peut s'y méprendre et croire qu'il s'agit de sénilité. Bien des gens ignorent une telle vérité.

Cette déficience commence à se manifester dans la quarantaine, mais ce n'est que 20 à 30 ans plus tard que l'évidence éclate : elle touche le cerveau et le système nerveux. Comme on le sait, avec l'âge, le système digestif peut perdre sa capacité à assimiler la vitamine B_{12} à la suite d'une moindre sécrétion d'acide chlorhydrique, de pepsine et du facteur intrinsèque, protéine nécessaire à l'absorption de la B_{12}. C'est le phénomène de la gastrite atrophique, très répandue, et les carences en vitamine B_{12} peuvent provoquer, encore une fois, des troubles neurologiques incluant la perte d'équilibre, la faiblesse musculaire, les sautes d'humeur, voire la démence dont la démence alzheimérienne. D'après la National Academy of Sciences, tout sujet âgé de plus de 50 ans devrait prendre un supplément de B_{12}, d'autant plus que cette vitamine, sous cette forme, s'assimile mieux que la B_{12} alimentaire[6].

• Le sélénium

Les neurones ont besoin du sélénium, cet oligo-élément qui sert à fabriquer le glutathion, antioxydant essentiel du cerveau. Une déficience de ce minéral perturbe l'activité des neurotransmetteurs, comme la sérotonine, la dopamine et l'adrénaline ; la fonction cérébrale s'en trouve alors compromise. Par ailleurs, les vertus du sélénium contre les troubles de l'humeur et de l'anxiété sont indéniables ; des études américaines et britanniques l'ont démontré et l'apparition de ces troubles tient sans doute au fait que c'est surtout la sérotonine qui est en cause lorsqu'une personne manque de sélénium. Il est recommandé de prendre 200 µg de sélénium par jour pour protéger les fonctions mentales et éloigner, par la même occasion, la cardiopathie et le cancer. Il faut se méfier des surdoses, car le sélénium est un des rares suppléments qui peuvent s'avérer très toxiques[7].

La façon la plus simple pour répondre aux exigences de vitamines et de sélénium dont il vient d'être question, c'est de prendre un bon supplément de multivitamines et minéraux.

• Les acides gras oméga-3

Les médias font grand cas, depuis quelque temps, des bienfaits des oméga-3 sur la santé cardiovasculaire, en laissant quelque peu dans l'ombre leur mérite dans le domaine de la santé mentale. Ces acides gras sont dits essentiels, comme on le sait, parce que le corps ne peut pas les fabriquer et qu'ils sont indispensables au bon fonctionnement de l'organisme; le cerveau n'est-il pas constitué de plus de 50 % de ces acides gras? Tous les symptômes de la dépression peuvent être contrecarrés par les acides gras oméga-3: la tristesse, l'insomnie, le manque d'énergie, l'anxiété, la baisse de libido et les tendances suicidaires, selon une étude britannique publiée dans les *Archives of General Psychiatry* et dont parle David Servan-Schreiber, M.D., Ph. D., dans son livre *Guérir*.

• L'extrait de pépins de raisin

Antioxydant exceptionnel, l'extrait de pépins de raisin est 50 fois plus puissant que la vitamine E et 20 fois plus puissant que la vitamine C. Il a été proclamé meilleur antivieillisseur en Europe. Il contient 95 % de proanthocyanidines; il s'agit de bioflavonoïdes, substances nutritives essentielles à l'absorption de la vitamine C et à son utilisation. Plus précisément, les bioflavonoïdes – citrine, hespéridine, quercétine, rutine... il y en a plus de 4 000 – sont des pigments qui donnent leurs couleurs aux fruits et légumes. Des recherches montrent que l'extrait de pépins de raisin traverse la barrière hémato-encéphalique pour exercer une action salutaire sur les neurones et les tissus nerveux. Le Dr Ray D. Strand croit que ce produit est de loin le plus important optimiseur dans la lutte contre les maladies neurodégénératives. Santé Canada recommande de ne pas dépasser la dose de 475 mg par jour d'extrait de pépins de raisin.

La mémoire

Objet de nombreuses recherches scientifiques, la mémoire est au cœur des préoccupations de bien des personnes surtout lorsqu'elles vieillissent. Certaines désirent la cultiver tandis que d'autres nourrissent la phobie de la perdre. Le phénomène est troublant : sans elle, connaissances, apprentissages, souvenirs sont de vains mots. Plus d'un aîné se plaint du rendement de sa mémoire. Certains peuvent avoir raison ; pour d'autres, cela peut relever simplement de l'insécurité. Ceux qui maugréent contre leur mémoire auraient une faible estime d'eux-mêmes.

Cette faculté exerce trois fonctions : acquérir, retenir et rappeler de l'information, ce qui est essentiel au fonctionnement mental. Comme le dit si bien le neuropsychologue, Guy Tiberghein, *la mémoire n'est pas seulement une forme de cognition, elle est sans doute la forme même de la cognition.*

• Des parasites

Disons tout de suite qu'un bon nombre d'aînés jouissent d'une excellente mémoire dans la mesure où l'état de santé général agit sur cette faculté intellectuelle ; les gens malades ont souvent une mémoire défaillante. Il importe toutefois de rappeler quels sont les grands ennemis de la mémoire :

- le tabac,
- l'alcool,
- l'anxiété,
- la dépression,
- l'hypothyroïdie,
- l'hypertension,

- une perte visuelle,
- une perte auditive,
- un sommeil insuffisant,
- une anesthésie générale,
- la prise de médicaments.

- **Je ne me souviens plus...**

Les oublis fréquents et répétés empoisonneraient la vie quotidienne de la moitié des Français de plus de 50 ans. La plupart des sujets âgés éprouvent des pertes de mémoire. Où ai-je mis ma montre ou mon sac à main ? Mon livre et mes clés étaient sur le comptoir, où sont-ils passés ? Où est mon téléphone cellulaire ? On ne se souvient plus d'un mot ou d'un numéro de téléphone. Rassurez-vous : les personnes qui se plaignent de certains oublis ont peu de risques de développer la maladie d'Alzheimer. Si vous avez perdu vos lunettes dans la maison, ce peut être normal, mais si vous avez oublié que vous portez des lunettes, c'est évidemment plus dramatique !

Bien sûr, la mémoire devient moins efficace quand on vieillit. La façon de stocker les renseignements est différente et le rappel des informations est ralenti, ce qui expliquer les défaillances mnésiques plus ou moins légères. Par ailleurs, il faut signaler que, contrairement à plusieurs théories, la mémoire, pas plus que le cerveau, n'est un muscle susceptible d'être soumis à des exercices de répétition.

Dans un article intitulé «La mémoire n'est pas un muscle», le célèbre professeur de neuropsychologie et de psychopathologie de l'Université de Liège, Martial Van der Linden, écrit justement : *Je préfère cent fois qu'une personne âgée aille jouer au bridge, à la pétanque, ou assiste à une conférence, plutôt que de passer deux fois deux heures par semaine à faire des exercices idiots de mémoire. Le jeu n'en vaut pas la chandelle*[8]. La mémoire est faite avant tout de stratégies ; elle constitue un ensemble de processus qu'il est possible d'organiser et de maximiser de différentes façons. C'est la raison pour laquelle il vaut beaucoup mieux aider la mémoire dans son travail d'enregistrement et de rappel de l'information.

À cet effet, les conseils suivants pourraient être fort utiles à votre mémoire :

➢ Dressez une liste des choses à faire ou des objets à acheter.

➢ Marquez sur un calendrier les dates de rendez-vous.

➢ Inscrivez les nouveaux numéros de téléphone dans un carnet.

➢ Accomplissez vos tâches selon un ordre donné, d'après une routine.

➢ Ayez un calepin pour noter, en quelques mots, ce qui vous semble important.

➢ Tenez un journal plus ou moins détaillé de vos activités.

➢ Placez toujours les choses au même endroit.

➢ Établissez des associations d'idées comme points de référence pour vous rappeler des objets ou des événements.

➤ Répétez le nom des nouvelles personnes que vous rencontrez.

➤ Pour vous souvenir de certains mots, récitez les lettres de l'alphabet et, en prononçant la première lettre du mot cherché, il pourrait revenir à votre mémoire.

En appliquant ces conseils, vous soulagerez d'abord votre mémoire et vous lui faciliterez la tâche. L'entretien de la mémoire est aussi lié aux relations sociales et à une ouverture aux autres. Les aînés devraient parler, se confier, raconter leurs difficultés, écouter celles des autres pour atténuer leurs propres contrariétés. Bref, garder le moral. Car rien ne semble plus bénéfique pour la mémoire que de rester ouvert sur le monde et d'aller au-devant de ses sollicitations, de continuer à sortir entre amis, d'aller au cinéma, d'écouter des conférences... La recette, en somme, pour conserver à notre mémoire une partie de sa jeunesse, tient en deux mots : rester curieux !

• **Les nutriments de la mémoire**

Les scientifiques reconnaissent de plus en plus le fait que certains nutriments peuvent stimuler le fonctionnement de la mémoire. C'est notamment le cas de la choline, de la vitamine B_6 et de l'acide folique.

La choline, une vitamine du complexe B, parfois désignée comme acide aminé, est l'architecte de la mémoire, pour reprendre les mots de Jean Carper. Elle constitue un élément essentiel des lipides dans les membranes des cellules nerveuses et lutterait contre les pertes de mémoire. Mais son principal mérite, c'est qu'elle est le précurseur de la synthèse de l'acétylcholine, le neurotransmetteur indispensable à la fonction cognitive, à l'apprentissage comme à la mémoire. La détérioration du système cholinergique est une des caractéristiques de la maladie d'Alzheimer.

Les principales sources alimentaires de la choline sont les arachides, le jaune d'œuf, le germe de blé, les céréales de grains entiers, la viande, le lait, le fromage, les fèves de soya et, plus particulièrement, le brocoli, le chou et le chou-fleur. Comme supplément alimentaire, la lécithine est aussi fort recommandée ; cette substance compte pour 30 % du poids sec du cerveau.

La pyridoxine ou la vitamine B_6 constitue également une excellente façon de freiner le déclin des facultés mentales et de sauvegarder les capacités mnésiques. Des psychologues hollandais ont démontré qu'un supplément de 20 mg de vitamine B_6 par jour donné à des hommes de 70 ans et plus, pendant 3 mois, avait sensiblement amélioré leur mémoire à long terme. D'autres études abondent dans le même sens. Les bonnes sources de cette vitamine sont le foie, le poisson, la viande, la levure de bière, les légumineuses, les graines de tournesol, la banane, la carotte et les épinards.

Une autre vitamine du complexe B, l'acide folique ou la B_9, appelée aussi folate ou folacine, peut revitaliser les fonctions de la mémoire. Des études sérieuses révèlent que des déficiences en acide folique causent très souvent des troubles psychologiques plus ou moins graves, des accidents vasculaires cérébraux, la maladie d'Alzheimer et de la démence. Ce serait la carence en vitamine la plus répandue et la plus néfaste. L'acide folique serait en mesure de combler adéquatement les lacunes de la mémoire. Cette vitamine se trouve dans le bœuf, le son, la levure de bière, le riz brun, le fromage, le poulet, l'agneau, les dattes, les légumes verts, les lentilles, le foie, le lait, l'orange, les champignons, le saumon, le thon, le germe de blé, le blé complet et les grains entiers.

La plasticité cérébrale

Il y a quelques années à peine, les scientifiques croyaient que le cerveau était définitivement formé avant l'âge de 5 ans et que les neurones se détruisaient graduellement avec le temps de façon irrémédiable. Tel n'est pas le cas. Aussi incroyable que cela puisse paraître, ce qui se dégage aujourd'hui des toutes dernières recherches neurobiologiques sur le cerveau, c'est que les stimulations cérébrales contribuent à modifier la forme de cet organe merveilleux, qu'elles peuvent créer d'autres connexions entre les neurones et produire de toutes nouvelles cellules nerveuses. Cette neurogenèse est extrapolable à l'être humain, les expériences de laboratoire sur les rongeurs la démontrant indubitablement.

Il s'agit d'un phénomène de plasticité cérébrale, au dire des scientifiques, et le concept se définit ainsi : *Capacité que possède le cerveau à réorganiser ses réseaux de neurones en fonction des stimuli extérieurs et des expériences vécues par l'individu ou d'adapter son fonctionnement à la suite d'un traumatisme ou d'une maladie*[9]. Cette réalité existe, bien sûr, chez la personne âgée. En d'autres termes, un aîné qui se met à l'apprentissage d'une tâche ou se consacre à des activités intellectuelles pourrait bénéficier d'une modification cérébrale grâce à laquelle de nouveaux tissus cérébraux apparaîtraient pour améliorer le traitement de l'information et la vivacité de l'esprit. N'est-ce pas extraordinaire? De plus, la plasticité cérébrale met indiscutablement en lumière le pouvoir de réparation du cerveau, suscitant ainsi des espoirs thérapeutiques notables.

Cette découverte va certes à l'encontre de l'idée selon laquelle les fonctions mentales déclinent irrémédiablement quand on vieillit. Comme l'affirme si bien Louise Tassé, Ph. D., dans son ouvrage de gérontologie: *Le fait de croire que les facultés intellectuelles se détériorent avec l'âge, que les personnes âgées perdent inévitablement la mémoire ou que, devenues rigides dans leurs idées et attitudes, elles sont incapables de changer leurs habitudes de vie appartient à ce monde de préjugés auxquels les personnes âgées se conforment souvent ou qu'elles doivent affronter quotidiennement*[10].

Il faut reconnaître toutefois que la monotonie, la répétition des mêmes gestes, la déprime, le stress et l'absence de stimulation ralentissent chez les sujets âgés l'aptitude à apprendre et à s'intéresser à son milieu de vie, ce qui est néfaste au fonctionnement de l'esprit. L'isolement et la solitude, faut-il le redire, sont les grands ennemis de la santé mentale.

Les activités intellectuelles

La vérité est donc simple: plus vous aurez des activités intellectuelles de toutes sortes après la retraite, meilleures seront les performances de votre cerveau! Une bonne formation intellectuelle à la base n'est évidemment pas négligeable. Jean Carper écrit là-dessus: *Les cerveaux éduqués sont des cerveaux plus forts. [...] Il est vrai que plus nous sommes instruits, moins nous sommes susceptibles de développer en vieillissant des troubles de mémoire et de la démence. De prime abord, cela peut sembler très étrange ou même indiquer qu'un statut socio-économique plus élevé ou le fait d'échapper tôt à la pauvreté et à la malnutrition procure au cerveau des avantages particuliers[11].*

La lecture est sans aucun doute la première des activités mentales de choix que devraient pratiquer les aînés. Lire les journaux, des articles de revues, des romans, de la poésie, des essais, voilà une façon fort économique d'entraîner son cerveau. Certains jeux sont aussi bénéfiques, que ce soit le scrabble, les échecs, le sudoku, les mots croisés ou le bridge. L'écriture, pour sa part, sollicite le processus d'analyse et de synthèse, ce qui fait travailler les neurones. Le travail à l'ordinateur nécessite attention, concentration et raisonnement logique. Devant un moniteur, la personne est stimulée et en pleine activité. Regarder la télévision, par contre, n'aiguillonne pas le cerveau, qui se met quelque peu au neutre et demeure passif jusqu'à un certain point.

D'après la journaliste brésilienne, Débora Pinheiro, spécialisée en culture scientifique et travaillant au Québec, le fait de bouger la souris de l'ordinateur, de se peigner les cheveux ou de changer la position de sa montre, d'un poignet à l'autre, stimulent l'hémisphère droit du cerveau, lié à la créativité. Elle poursuit en ajoutant que les relations humaines, les voyages, les discussions sont aussi de nature à rendre meilleur le fonctionnement mental.[12]

Apprendre quand on vieillit

L'apprentissage est-il vraiment à la portée des sujets âgés? Que penser de l'apprentissage d'une langue seconde, de notions de philosophie, de techniques de la psychologie, de cours de peinture, de musique ou d'astronomie? Comme on le sait, les préjugés sont à la fois nombreux et tenaces, et le commun des mortels s'imagine que, passé 60 ou 65 ans, il doit renoncer aux études parce que sa mémoire est moins bonne et s'accompagne d'autres facultés intellectuelles défaillantes et que, surtout, étudier ne comporte pour lui aucun avantage. Pourtant, la réalité est bien différente.

Plusieurs recherches ont démontré que les aînés réussissaient mieux que bien des jeunes les épreuves relatives à l'acquisition des connaissances. Leur expérience de la vie et leur culture y étaient pour beaucoup de même qu'un emploi de la méthode déductive, qui part de considérations générales pour aller à des faits ou des particularités. Ce qui fait dire à Gilbert Leclerc, chercheur au Centre de vieillissement de l'Université de Sherbrooke:

> *Les capacités d'apprendre de même que celles de trouver des solutions complètes aux problèmes de la vie courante semblent se maintenir jusque dans un âge très avancé. [...] Il s'agit là d'une aptitude essentielle pour bien vieillir et, plus radicalement, pour vivre. Pour la personne âgée comme pour toute personne, apprendre, s'adapter, changer, évoluer est plus qu'une simple question de mieux-être, c'est une question de survie, pour la simple raison que le monde autour d'elle est en perpétuelle mutation et que sa seule chance de rester vivante est de remettre en question sa propre perception d'elle-même et du monde. Continuer d'apprendre, c'est continuer de vivre[13].*

Il n'est donc pas exagéré de soutenir qu'on peut apprendre à tout âge. Les aînés devraient fournir les efforts nécessaires pour s'ouvrir à leur milieu de vie et au monde et s'engager notamment dans des activités intellectuelles variées. L'apprentissage continu est un antidote au vieillissement des facultés mentales.

La démence d'Alzheimer

Comment ne pas parler de cette terrible maladie dégénérative qui suscite de l'angoisse chez les gens normaux et qui frappe des milliers de personnes à travers le Québec et le Canada. L'Alzheimer est la plus répandue des démences. Pour bien des personnes âgées, même parmi les plus jeunes, cette affection est devenue quasi obsessionnelle. Il suffit de ne pas trouver ses clés ou un livre à la maison ou de chercher un mot, un nom, un numéro de téléphone pour que le spectre de la maladie effleure notre esprit. Pourtant, il ne s'agit là que de troubles de la mémoire liés à l'âge (TMLA). Les TMLA sont la réaction normale du cerveau qui vieillit ; près de 35 % des personnes âgées de 60 à 78 ans en seraient affectés et cela n'aurait rien à voir avec la maladie d'Alzheimer, plus complexe et doublée d'un problème d'orientation.

Pour nous rassurer, jetons un coup d'œil aux signes précurseurs de la maladie d'Alzheimer :

1. perte de mémoire affectant les habiletés usuelles : oubli d'une information récente,

2. difficulté à effectuer des tâches familières comme préparer un repas,

3. trouble du langage : phrases difficiles à comprendre pour son interlocuteur,

4. désorientation dans l'espace et le temps : se perdre dans sa rue,

5. jugement amoindri : porter des vêtements chauds en plein été,

6. difficulté par rapport aux notions abstraites : faire une addition,

7. objets égarés dans des endroits inappropriés,

8. changement d'humeur ou de comportement : passer rapidement du calme à la colère,

9. changement de personnalité : devenir confus, méfiant ou renfermé,

10. perte d'intérêt : passivité et apathie.

Source : publicité de la Société d'Alzheimer

En bref, le cerveau humain est sans conteste une des merveilles de la vie. Encore faut-il savoir le protéger et en prendre soin surtout quand on vieillit. Grâce aux antioxydants des fruits et des légumes et à une supplémentation intelligente, il est possible de lutter contre les radicaux libres dont les influences sont destructrices. Les acides gras oméga-3 constituent une nourriture cérébrale de choix et d'autres produits de santé naturels, à l'instar de l'extrait de pépins de raisin, se révèlent bénéfiques pour le cerveau.

Quant à la mémoire, c'est un outil précieux qui gagne à être entretenu fidèlement. Si elle a des ennemis comme le stress, le manque de sommeil, certains médicaments, on peut compter sur des nutriments, tels la choline, la B_6, l'acide folique, la B_9, pour la revitaliser adéquatement. On retiendra finalement que les activités intellectuelles et l'apprentissage sont très profitables à l'entretien des facultés mentales, une autre clé fondamentale du bien-vieillir.

Notes et références

1. Jean CARPER, *Les aliments miracles pour votre cerveau*, Montréal, Les Éditions de l'Homme, 2001, p. 14.

2. Les radicaux libres, phénomène d'oxydation, expliqueraient le vieillissement physiologique : les rides et les taches brunes sur la peau, les cataractes, les maladies inflammatoires ou neurodégénératives et le cancer sont souvent causés par des réactions oxydatives, lesquelles peuvent toucher évidemment tous les organes du corps.

3. Jean CARPER, *op. cit.*, p. 155-156.

4. *Ibid.*, p. 258.

5. *Ibid.*, p. 245 à 253.

6. *Ibid.*, p. 230-232.

7. *Ibid.*, p. 263-265. L'adhésion à une philosophie de la supplémentation alimentaire, la prise de tout produit de santé naturel devraient faire l'objet d'une consultation auprès des professionnels de la santé.

8. Martial VAN DER LINDEN, « La mémoire n'est pas un muscle », entrevue accordée à *Science et Vie*, septembre 2000, p. 141.

9. Selon un texte de la Fédération pour la recherche sur le cerveau, organisme français responsable de la campagne du Neurodon 2004, opération créée en 2000 et destinée à recueillir des fonds pour la recherche sur le cerveau.

10. Louise TASSÉ, Ph. D., *Introduction à la gérontologie*, Montréal, Faculté de l'éducation permanente, Université de Montréal, 2003, p. 8.7.

11. Jean CARPER, *op. cit.*, p. 39.

12. Débora PINHEIRO, *Le Cerveau, ça s'entretient*, www.55net.com/sante/cerveau/index.cfm. (Consulté le 20 mars 2011).

13. Gilbert LECLERC, Ph. D., « Capacités d'apprendre et vieillissement », *Le Gérontophile*, vol. 20, n° 2, printemps 1998, p. 18.

CHAPITRE 6

Vivez en sécurité

La plus grande pulsion n'est pas la libido,
mais le besoin de sécurité.

Jean DELUMEAU

Intimement liée à l'émergence des droits de la personne, la sécurité humaine constitue un phénomène social qui justifie la préoccupation à l'endroit des menaces et des vulnérabilités à l'échelle mondiale. La sécurité fut longtemps orientée vers la défense territoriale des pays et ce n'est que depuis quelques décennies que les sociétés se sont intéressées à la sécurité individuelle. Il n'est pas exagéré de croire que, dans toute l'histoire de l'humanité, jamais la personne n'a été aussi protégée, même si la misère humaine, sous toutes ses formes, continue d'accabler des milliers d'hommes, de femmes et d'enfants sur la planète.

Le concept de sécurité est inséparable de la notion des risques de la vie. En effet, le risque est au cœur de l'existence humaine, puisque dans toutes nos activités quotidiennes, il est toujours possible de chuter dans un escalier, d'être heurté par une voiture ou de subir les atteintes d'une maladie virale.

Paradoxe de notre société, nous sommes plusieurs à rechercher une sécurité presque sans limites alors que d'autres souscrivent à des comportements fort dangereux comme l'excès de vitesse, les sports extrêmes ou les relations sexuelles non protégées, comportements qui mettent en danger la vie d'autrui. En revanche, l'élimination totale des risques est une impossibilité ; le degré zéro de risque comme la sécurité absolue n'existent pas. Si la prévention en lien avec la sécurité repose sur une évaluation des risques, l'individu doit, pour sa part, les percevoir et juger de leur impact dans sa vie de façon à prendre les mesures nécessaires pour en arriver à une protection efficace.

Dans le contexte du bien-vieillir, nous nous en tiendrons à deux dimensions capitales de la sécurité individuelle, soit la sécurité matérielle et la sécurité affective, deux aspects qui font toute la différence pour assurer un vieillissement réussi.

La sécurité matérielle

Dans la pyramide de Maslow, la fameuse classification hiérarchique des besoins humains, après le niveau 1 consacré aux besoins primaires : manger, boire, dormir..., le niveau 2 représente le besoin de sécurité qui consiste à se protéger contre les différents dangers qui nous menacent. D'où la nécessité d'un abri (logement, maison), de la sécurité des revenus et des ressources, de la sécurité physique contre la violence, de la sécurité contre la maladie, etc. La sécurité matérielle est donc primordiale pour contrer les risques du quotidien et pour vieillir paisiblement.

Souvent victimes d'une mentalité judéo-chrétienne qui préconisait le détachement des biens matériels, nous avons longtemps cru qu'il fallait s'éloigner de la richesse. Pourtant, il est reconnu que la richesse matérielle est un facteur d'intégration sociale dans la mesure où elle facilite, entre autres choses, l'accès aux relations entre amis, des loisirs variés, les voyages, etc. La vie de l'individu riche est moins exposée aux dangers que celle de l'individu dont la situation financière est précaire et ceci est d'autant plus vrai lorsqu'on vieillit. Un minimun de richesse protège contre l'exclusion sociale souvent engendrée par la pauvreté, le chômage, le manque de logement, le peu d'instruction, etc. Assurer la sécurité matérielle des personnes relève de la justice sociale et cela devient capital pour les personnes âgées, d'où l'importance des assurances santé et invalidité ainsi que les diverses prestations des régimes d'épargne-retraite, de la Pension de la sécurité de la vieillesse, du Régime des rentes du Québec, etc. La question d'un logement décent capable de satisfaire les besoins biologiques se pose aussi avec une acuité évidente. Malheureusement, ce n'est pas tout le monde qui peut profiter de ces avantages sociaux en lien direct avec une sécurité matérielle permettant de mieux vieillir.

Ainsi donc, la sécurité matérielle nous concerne tous. Dans notre monde d'aujourd'hui, il n'est pas étonnant de pouvoir compter sur une foule de conseils de prudence relatifs à notre habitat, à l'automobile, au transport en public, à la vie urbaine, aux vacances dans les autres pays, etc. Bien appliquées, ces mesures sont susceptibles d'assurer notre sécurité personnelle et les personnes âgées sont réputées pour les prendre généralement en considération pour en tirer grandement profit.

Le niveau socio-économique est souvent lié au degré d'instruction comme facteurs qui favorisent une consolidation de la sécurité matérielle. Les recherches le démontrent clairement : les personnes appartenant à une classe sociale bien nantie et diplômées de l'université jouissent souvent de bonnes conditions de vie, vieillissent bien et connaissent une longévité exemplaire. Comme on peut le lire au sujet des femmes âgées dans la *Revue québécoise de psychologie*,

> *... les aînées de milieux favorisés sont nettement plus nombreuses à mentionner que bien vieillir renvoie à l'acceptation sereine ou à l'attitude positive devant les pertes induites par le vieillissement. (...) On a en effet noté que toutes reconnaissent avoir eu des conditions d'existence passablement privilégiées, bénéficiant de plusieurs occasions de s'épanouir sous divers aspects. (...)*[1]

Et, selon un rapport de la National Advisory Council on Aging (NACA, 2001) sur les situations vécues par les aînés du Canada, *les personnes âgées à faible revenu sont plus exposées au développement de maladies et à une mort prématurée que les nanties*[2]. C'est comme si la sécurité, sous toutes ses formes, les protégeait moins.

La sécurité affective

Aussi fondamentale sinon plus que les bienfaits matériels, la sécurité affective est un sentiment de confiance, de tranquillité d'esprit et de paix intérieure provenant d'une absence de danger ou de craintes. Elle n'est pas une vaine abstraction puisqu'elle trouve ses racines dans les relations interpersonnelles, l'amour, la vie spirituelle et l'appartenance sociale.

• Les relations interpersonnelles

L'homme n'est-il pas un animal social, pour reprendre l'idée d'Aristote? Aussi faut-il admettre que les autres nous sont indispensables et que nous avons ce grand besoin d'échanger avec nos semblables. Dans *Terre des hommes*, Saint-Exupéry écrit avec justesse: *Il n'est qu'un luxe véritable, et c'est celui des relations humaines.* La qualité des relations affectives et psychosociales contribue au bien-être et elles sont une assurance pour éloigner le confinement à la maison, la solitude et l'isolement. Les bonnes relations humaines sont un gage de sécurité affective.

Notre cercle de connaissances devient plus important lorsqu'on vieillit et que certains membres de la famille ou des proches disparaissent. Il reste alors ceux et celles que l'on côtoie régulièrement. Cette nécessité sociale explique sans doute la popularité des clubs sociaux qui permettent aux gens de s'adonner à des activités passionnantes où fleurissent souvent des amitiés magnifiques et durables, un terreau pour cultiver l'entraide et la solidarité.

L'amitié serait même un facteur de longévité pour les aînés. D'après une recherche de l'Université de Flinders, en Australie, menée auprès de 1 477 personnes de 70 ans et plus, alimenter un réseau de bons amis, même par conversation téléphonique, contribuerait davantage à augmenter l'espérance de vie des personnes âgées que les contacts avec la famille. Ne choisit-on pas ses amis?

Plus récemment, des chercheurs de l'Université d'Harvard se sont penchés sur les effets de l'amitié en suivant 12 067 personnes pendant 32 ans. Chaque nouvel ami rehausserait le sentiment du bonheur de 9 %, et selon les données d'une recherche australienne, menée sur 10 ans, les personnes de 70 ans et plus, comptant de nombreux amis, avaient 22 % moins de risques de mourir durant cette période.

On aura donc compris que le bonheur est aussi au cœur de cette sécurité affective. Être heureux, avoir du plaisir dans la vie, sont des facteurs de croissance personnelle et de maîtrise du stress ; ils constituent du fait même une prévention contre le vieillissement. Il n'est pas exagéré de soutenir que le bonheur est relativement simple puisqu'il se trouve souvent dans les petites choses du quotidien. Prenons exemple sur les épicuriens qui ne ratent jamais l'occasion de trouver du plaisir partout où ils se trouvent : écouter une pièce musicale préférée, faire une randonnée en forêt à l'automne, admirer les vagues déferlantes au bord de la mer, regarder une bonne entrevue à la télé, prendre une douche chaude, savourer un excellent repas en agréable compagnie, jouer au golf sur un parcours enchanteur, lire un roman avec un chat qui dort sur ses genoux... Et pourquoi ne pas agir comme Voltaire : *J'ai décidé d'être heureux parce que c'est bon pour la santé.*

• De l'amour

Pour bien vieillir, les relations avec les intimes sont primordiales. Quel soutien et quel réconfort ne pouvons-nous pas trouver auprès des personnes qui nous sont très proches ? Comme l'écrit si bien La Bruyère : *Être avec des gens qu'on aime, cela suffit : rêver, leur parler, ne leur parler point, penser à eux, penser à des choses plus indifférentes, mais auprès d'eux, tout est égal.* La relation amoureuse, elle, est une relation toute privilégiée ; elle participe pour beaucoup à l'atteinte du bonheur quotidien et assure la sécurité affective. Être aimé et aimer, n'est-ce pas fondamental ? L'amour romantique dans une relation stable demeure une des meilleures façons d'être heureux.

L'amour à deux, c'est aussi autre chose. Le partage, les affinités, la sympathie mutuelle, l'affection, la complémentarité, l'intimité, telles sont les caractéristiques de la vie de couple réussie. Quand on interroge les aînés sur ce qui est primordial dans la relation des conjoints, la sécurité émotive occupe la première place. Savoir que l'autre est là, qu'il s'intéresse à ce que l'on fait, qu'il donne son avis sur tout et rien, voilà qui peut rassurer et hausser l'estime de soi.

Pour sa part, le professeur Richard Lefrançois de l'Université de Sherbrooke rappelle les bienfaits de la vie de couple pour assurer la sécurité personnelle. Il soutient en effet :

Vieillir en couple demeure avantageux pour satisfaire aux besoins de sécurité physique, financière et affective, sans oublier l'échange de services et le réconfort moral. Même si dans la vieillesse les couples connaissent davantage un amour de compagnonnage qu'un amour-passion, ils peuvent éprouver de l'attachement, de la tendresse, de la loyauté et de la dévotion l'un envers l'autre.

Au fil du temps, les contentieux conjugaux ou familiaux animent de moins en moins leur flamme de combattant. Ayant appris à se connaître mutuellement, à développer des défenses efficaces à travers leurs conflits, ces couples grisonnants déclarent maintenant forfait, s'attachant à l'essentiel, sans pour autant s'enliser dans l'apathie et la monotonie. Un conjoint peut toujours surprendre l'autre à la faveur d'attentions délicates et de projets inattendus.

La vie à deux dans la vieillesse, n'étant ni à l'abri d'embûches ni exempte d'obligations diverses, requiert des remaniements périodiques pour éviter le déséquilibre relationnel. Une fois retraités, les conjoints se côtoient plus souvent dans le labyrinthe de la vie de tous les jours d'où le risque accru d'envahissement. Ceux qui s'adaptent le mieux ont apprivoisé la promiscuité quotidienne, en s'aménageant des espaces de refuge et des moments d'apaisement pour soi.

Mais, dans l'éventualité probable de la maladie ou de l'incapacité prolongée du conjoint, les couples âgés peuvent s'attendre à investir énormément de temps et d'énergie sous forme de soutien physique et d'encouragement.[3]

On imagine bien que la tendresse récompense toujours celui qui la dispense, dans la mesure où il en retire lui-même bien-être et grandes joies.

Bref, l'amour ne confère-t-il pas à la vie sa raison d'être, même si, parfois, les fluctuations du sentiment amoureux paraissent inexplicables ? C'est en tout cas ce que semble vouloir confirmer Louise de Vilmorin, écrivaine française, fiancée à Antoine de Saint-Exupéry et femme d'André Malraux : *Nul ne peut aimer tout le temps celui ou celle qu'il aimera toujours.*

• La vie spirituelle

Avec les années, la vie présente souvent l'occasion d'une recherche de sens qui prend naissance à partir des expériences et d'une réflexion en profondeur sur les raisons de vivre. Cette quête de sens s'amplifie parfois avec l'irruption de maladies graves chez les aînés. Prise au sens large, la spiritualité se veut une sorte de philosophie de la vie qui rend l'existence plus significative ; la démarche spirituelle se rattache à toute découverte de sens et, plus précisément, à une relation avec la transcendance, peu importe de quoi ou de qui il s'agit. Ainsi, les images de l'au-delà et les mots pour les décrire accusent bien des différences selon les individus : ce peut être l'ultime, l'infini, l'énergie cosmique, les forces occultes, le diable, les entités spirituelles, le destin, le soi divin, Dieu, Jésus, Allah, Bouddha, Mahomet, etc.

Dans une autre perspective, du latin *spiritus*, qui signifie *esprit*, le spirituel se rapporte à tout ce qui touche l'esprit et l'immatériel. Nos pensées sont donc liées au spirituel parce qu'elles assurent le fonctionnement de l'esprit ; elles alimentent également ce qu'on appelle la spiritualité, cet ensemble de croyances et de pratiques qui concernent la vie spirituelle. Et qui dit croyances peut dire foi sans la connotation religieuse habituelle, car il existe bien une spiritualité de l'homme dont les assises sont la foi en soi. Il faut croire dans ce que l'on est, ce que l'on entreprend et dans la poursuite de ses objectifs.

La spiritualité, c'est aussi un système de valeurs et une hiérarchie des finalités par lesquels on peut juger la pensée des autres et leurs actions non seulement au regard de leur efficacité, mais également en fonction de la conscience individuelle tout orientée vers le Bien, le Beau, le Bon et le Vrai, objectif ultime. En ce sens, le Dalaï Lama déclare : *Il n'importe guère qu'un être soit croyant ou non : il est beaucoup plus important qu'il soit bon.* Aussi certaines qualités sont-elles privilégiées, telles la compassion, l'indulgence, la patience, l'honnêteté, la tolérance, l'amabilité, la générosité, le souci de l'autre... Ainsi, l'existence humaine prend toute sa signification, hors des croyances religieuses, et répond bien aux interrogations de Paul Gauguin qui servent de titre à son célèbre tableau polynésien[4] de 1897 : *D'où venons-nous? Qui sommes-nous? Où allons-nous?*

Mais la dimension proprement religieuse de la vie n'est pas à négliger : exprimer ses sentiments à un dieu nommé est souvent très réconfortant. L'on avance même que la religiosité est liée à un taux élevé de sérotonine dans le cerveau, sans omettre que la foi et les croyances ont toujours soutenu le moral des hommes et des femmes dans l'histoire de l'humanité. Malheureusement, la même histoire enseigne que les religions ont mené parfois à la division, à l'intolérance et au fanatisme. Les preuves abondent : le dogmatisme catholique, les sectes religieuses, l'intégrisme musulman, le fondamentalisme chrétien des États-Unis, etc. Si les religions ont parfois donné lieu à des excès, il n'en demeure pas moins qu'elles ont souvent comblé les aspirations des peuples pour contribuer ainsi à la joie et au bonheur individuel.

Voir l'univers à travers des valeurs spirituelles et religieuses ne peut donc qu'alléger les peines du quotidien et amener les gens à être plus heureux et à mieux vieillir.

• **L'appartenance sociale**

Dans une société où l'individualisme règne en maître, il n'est pas toujours facile de combler ses besoins d'intégration sociale, ce qui peut augmenter les risques d'isolement ou de solitude. *L'enfer, c'est les autres*, écrivait Sartre dans *Huis-Clos*. Pourtant, cette appartenance à une famille, à des associations ou à des mouvements sociaux se rattache manifestement à la satisfaction des besoins d'affection et de reconnaissance pour contribuer à la hausse de l'estime de soi. Être reconnu, accepté et se sentir utile demeure fondamental pour tout être humain et c'est davantage salutaire et appréciable quand on vieillit. *Nous ne sommes pas des êtres préexistants qui entrent en relation,* de soutenir Jacques Généreux dans son livre *La dissociété, mais des êtres nés d'une relation et dont le développement est façonné par un ensemble d'interactions avec les autres : nous sommes de la relation incarnée. Exister, c'est être par et avec d'autres.*

Appartenir à un cercle social, quel qu'il soit, partager ses valeurs et ses normes, y développer des attaches affectives et un sentiment de solidarité, rien de mieux pour la santé physique et mentale. Nombreuses sont ces personnes engagées dans l'action bénévole qui peuvent jouir d'une sécurité affective, tout en profitant souvent d'une longévité exemplaire. L'appartenance sociale est l'antidote par excellence à la détresse psychologique et à l'exclusion sociale qui accroissent les risques de la maladie, étant même prédicteurs de mort prématurée.

C'est surtout dans l'engagement que l'appartenance sociale se concrétise. Cette réalité est au cœur même de toute la philosophie du bien-vieillir. Par ailleurs, aucune situation de vie créatrice et dynamique n'est parfaite, ce qui permet d'affirmer que vieillir heureux, c'est de s'assurer notamment de la victoire des émotions positives sur les émotions négatives.

Découlant de l'engagement, très souvent exercé par des gens à la retraite ou plutôt âgées, le bénévolat sous toutes ses formes est la bougie d'allumage du bien-vieillir. En Amérique du Nord, près de 25 % des hommes et des femmes se dévouent pour les autres. Que ce soit à l'église, dans la famille, à l'hôpital ou dans divers organismes, le bénévole s'oublie pour s'occuper des autres, pour les aider ou soulager leur détresse et leur misère. En procurant aux autres une sécurité affective, par un juste retour des choses, le bénévole reçoit de la quiétude, de la sérénité, de la reconnaissance et l'affection d'autrui.

Si la sécurité matérielle vaut son pesant d'or pour bien vieillir, la sécurité affective, elle, demeure inestimable. Que serions-nous sans les autres, nos proches et nos amis? Les bonnes relations humaines sont la pierre d'assise d'une avancée en âge heureuse et satisfaisante.

Notes et références

1. Suzanne LABERGE et autres, *Les conceptions du «bien-vieillir» d'aînées des milieux favorisés et défavorisés*, Revue québécoise de psychologie, vol. 34, n° 3 2003, p. 79-80.

2. Michèle CHARPENTIER et autres, *Vieillir au pluriel,* Perspectives sociales, Québec, PUL, 2010, p. 130.

3. Richard LEFRANÇOIS, *Vieillir en couple est-il un long fleuve tranquille?* www. tribune-age.over-blog.com/. (Consulté le 3 mars 2011).

4. D'après l'Encyclopédie libre Wikipédia, *le tableau devait être lu de droite à gauche, avec les trois principaux groupes de personnes illustrant les questions posées dans le titre. Les trois femmes avec un enfant représentent le début de la vie, le groupe du milieu symbolise l'existence quotidienne des jeunes adultes, et*

dans le dernier groupe, d'après l'artiste, « une vieille femme approchant la mort apparaît réconciliée et résignée à cette idée » ; à ses pieds, « un étrange oiseau blanc [...] représente la futilité des mots. » L'idole bleue à l'arrière-plan représente apparemment ce que Gauguin décrivait comme « L'au-delà ».

Conclusion

À 60 ans, les 25 années d'espérance de vie en moyenne laissent la place à moult projets et à de nombreuses activités, sans oublier un réseau de relations humaines qui contribue à l'épanouissement personnel. Au moins 70 % des personnes de plus de 70 ans vivent sans aucun souci de santé ! Quand certaines pathologies ou des handicaps surviennent, les progrès de la médecine, la technologie avancée et les services de santé améliorent souvent la situation. Presque toujours, la vie se poursuit sans trop d'ennuis. Qui peut prétendre que la vieillesse ne mène à rien, qu'elle est une étape de déclin et d'enfermement, surtout à l'époque où nous vivons, riche en information et en divertissement ? Le mal-vieillir correspond plus à une disposition mentale qu'aux maladies physiques qui s'amènent de plus en plus sur le tard.

Bien entendu, il est de première importance de maîtriser les règles de l'art de bien vieillir. On connaît déjà les éléments néfastes capables de conduire à un vieillissement misérable. En effet, rappelons les comportements destructeurs de la santé et de la jeunesse :

– le tabagisme,
– une alimentation déficiente surtout en fruits et légumes,

- une consommation excessive d'alcool,
- l'anxiété et le stress à l'excès,
- la sédentarité.

Il faut reconnaître, par ailleurs, que la pierre d'assise de notre longévité demeure notre système immunitaire. Quand on avance en âge, notre immunité s'affaiblit et l'organisme devient plus sensible aux infections, bactéries et virus proliférant au gré des ans, si les défenses ne parviennent pas à les enrayer avec efficacité. En fait, le système immunitaire se remodèle et pas nécessairement pour le mieux : les lymphocytes B perdent de leur intégrité de même que les cellules NK, *natural killers,* qui ont le cancer comme cible favorite. Si des facteurs d'auto-destruction de la santé s'ajoutent, les risques de maladies dégénératives s'amplifient indéniablement. Il existe donc une forte corrélation entre l'espérance de vie en santé et l'état du système immunitaire.

Ainsi interviennent à bon escient les cinq clés pour mieux vieillir, des clés qui fortifient l'immunité et facilitent à tous les aînés, quel que soit leur âge, un vieillissement heureux et dynamique, loin de la maladie, un vieillissement marqué de projets réalisables et d'un engagement social épanouissant. Il reste à vous munir de ces cinq clés qui vous ouvriront la porte à un mode de vie plein de satisfactions et à une longévité exemplaire.

Bibliographie

ALEXANDER, M.D., Franz, *Cancer: psychosomatique*, www.enarchpsyc. ama-assn.org/cgi/reprint/11/3/229.pdf. (Consulté le 15 mars 2011).

ASSOCIATION QUÉBÉCOISE D'ÉTABLISSEMENT DE SANTÉ ET DE SERVICES SOCIAUX/CROP, *Sondage auprès des Québécois âgés de 50 à 64 ans sur le vieillissement*, www.aqesss.qc.ca/470/imedia. aspx?sortcode=1.1.3.4... (Consulté le 20 février 2011).

ASSOCIATION QUÉBÉCOISE D'ÉTABLISSEMENT DE SANTÉ ET DE SERVICES SOCIAUX, *6 cibles pour faire face au vieillissement de la population*, Montréal, Édition Guylaine Boucher, Agence Média-presse inc., 2011.

BILLÉ, Michel, MARTZ, Didier, *La tyrannie du «bien vieillir»*, Paris, Éditions Le bord de l'eau, 2010.

CARPER, Jean, *Les aliments miracles pour votre cerveau*, Montréal, Les Éditions de l'Homme, 2001.

DANECHI, Ph. D., Kaveh *Physiologie et vieillissement*, Montréal, Faculté de l'éducation permanente, Université de Montréal, 2000, p. 6.17-6.18.

DUBÉ, Denise, *Humaniser la vieillesse*, Québec, Éditions Multimondes, 2006.

FALARDEAU, Jean-Luc et BADEAU, Denise, *Bien vivre sa retraite*, Longueuil, Les Éditions Un monde différent, 1999.

GARREL, M.D., Dominique, *Question de maigrir. La vérité sur l'obésité… pandémie du siècle*, Saint-Sauveur, Marcel Broquet éditeur, 2010, p. 10-11.

HADLER, M.D., Nortin M., *Le dernier des biens-portants*, Québec, PUL, 2008.

KÜBLER-ROSS, M.D., Élisabeth et KESSLER, M.D. David *Leçons de vie*, Paris, Éditions Jean-Claude Lattès, 2002.

LAFOREST, Jacques, *La vieillesse apprivoisée*, Montréal, Éditions Fides, 2002.

LAGACÉ, Martine, *L'âgisme. Comprendre et changer le regard social sur le vieillissement*, Québec, PUL, 2010.

Gilbert LECLERC, Ph. D., «Capacités d'apprendre et vieillissement», *Le Gérontophile*, vol. 20, n° 2, printemps 1998.

LEFRANÇOIS, Richard «Vieillir en couple est-il un long fleuve tranquille?» www.tribune-age.over-blog.com/. (Consulté le 3 mars 2011).

LEJEUNE, Antoine, *Vieillissement et résilience*, Marseille, Solal Éditeurs, 2004,

SALDMANN, Frédéric, M.D., *La vie et le temps. Les nouveaux boucliers anti-âge*, Paris, Flammarion, 2011.

Li C, Ford ES *et al.* «Serum alpha-Carotene Concentrations and Risk of Death Among US Adults», *Arch Intern Med.* 2010 Nov 22.

VAN DER LINDEN, Martial, «La mémoire n'est pas un muscle», entrevue accordée à *Science et Vie*, septembre 2000.

VIE ET VIEILLISSEMENT, revue trimestrielle de l'Association québécoise de gérontologie, Montréal, www.info@aqg-quebec.org.